大眾心理學叢書

每冊都解決一個或幾個你面臨的問題
每冊都包含可以面對問題的根本知識

259

牽手經營婚內情

大眾心理學叢書 259

牽手經營婚內情——用智慧化解三角關係，以溝通成就兩人世界

作　者——卓以定
策　劃——吳靜吉博士
主　編——林淑慎
特約編輯——陳錦輝
發 行 人——王榮文
出版發行——遠流出版事業股份有限公司
臺北市汀州路 3 段 184 號 7 樓之 5
郵撥／0189456-1
電話／2365-1212　傳真／2365-7979
香港發行——遠流（香港）出版公司
香港北角英皇道 310 號雲華大廈 4 樓 505 室
電話／2508-9048　傳真／2503-3258
香港售價／港幣 80 元
法律顧問——王秀哲律師・董安丹律師
著作權顧問——蕭雄淋律師
2002 年 10 月 1 日　初版一刷
行政院新聞局局版臺業字第 1295 號
售價新台幣 240 元（缺頁或破損的書，請寄回更換）

ISBN 957-32-4738-0
YLib 遠流博識網
http://www.ylib.com　E-mail:ylib @ ylib.com

牽手經營婚內情

卓以定著

《大眾心理學叢書》出版緣起

王榮文

一九八四年，在當時一般讀者眼中，心理學還不是一個日常生活的閱讀類型，它還只是學院門牆內一個神秘的學科，就在歐威爾立下預言的一九八四年，我們大膽推出《大眾心理學全集》的系列叢書，企圖雄大地編輯各種心理學普及讀物，迄今已出版達二百種。

《大眾心理學全集》的出版，立刻就在台灣、香港得到旋風式的歡迎，翌年，論者更以「大眾心理學現象」為名，對這個社會反應多所論列。這個閱讀現象，一方面使遠流出版公司後來與大眾心理學有著密不可分的聯結印象，一方面也解釋了台灣社會在群體生活日趨複雜的背景下，人們如何透過心理學知識掌握發展的自我改良動機。

但十年過去，時代變了，出版任務也變了。儘管心理學的閱讀需求持續不衰，我們仍要虛心探問：今日中文世界讀者所要的心理學書籍，有沒有另一層次的發展？

在我們的想法裡，「大眾心理學」一詞其實包含了兩個內容：一是「心理學」，指出叢書的範圍，但我們採取了更寬廣的解釋，不僅包括西方學術主流的各種心理科學，也包括規範性的東方心性之學。二是「大眾」，我們用它來描述這個叢書的「閱讀介面」，大眾，是一種語調，也是一種承諾（一種想為「共通讀者」服務的承諾）。

經過十年和二百種書，我們發現這兩個概念經得起考驗，甚至看來加倍清晰。但叢書要打交道的讀者組成變了，叢書內容取擇的理念也變了。

從讀者面來說，如今我們面對的讀者更加廣大、也更加精細（sophisticated）；這個叢書同時要了解高度都市化的香港、日趨多元的台灣，以及面臨巨大社會衝擊的中國沿海城市，顯然編輯工作是需要梳理更多更細微的層次，以滿足不同的社會情境。

從內容面來說，過去《大眾心理學全集》強調建立「自助諮詢系統」，並揭櫫「每冊都解決一個或幾個你面臨的問題」。如今「實用」這個概念必須有新的態度，一切知識終極都是實用的，而一切實用的卻都是有限的。這個叢書將在未來，使「實用的」能夠與時俱進（update），卻要容納更多「知識的」，使讀者可以在自身得到解決問題的力量。新的承諾因而改寫為「每冊都包含你可以面對一切問題的根本知識」。

在自助諮詢系統的建立，在編輯組織與學界連繫，我們更將求深、求廣，不改初衷。

這些想法，不一定明顯地表現在「新叢書」的外在，但它是編輯人與出版人的內在更新，叢書的精神也因而有了階段性的反省與更新，從更長的時間裡，請看我們的努力。

牽手經營婚內情

目錄

第二篇　出軌的婚姻列車

第三篇 為誰辛苦為誰忙

〈專文推薦〉

學會愛的施與受

薇薇夫人

婚姻、婚姻，簡直是個永不過時的問題和話題，除非有一天人類沒有了婚姻制度。但那時男女又成了永遠的問題和話題，除非人類成了雌雄同體，那可能嗎？所以寫了幾十年婚姻和家庭有關的專欄以後，我仍然津津有味的讀完卓以定醫師的《牽手經營婚內情》這本書。

有一段話讓我印象極爲深刻：「在心理治療中，最喜歡用家庭治療的原理來看人。因爲在家庭治療中沒有所謂的病人，也沒有人可能會背上衆怒難犯的大罪。一個家庭是屬於一個小社會或體制，當一家有某個人的行爲出問題，其實是這家的家庭運作出了阻滯問題。如能將阻滯的地段打通，個人的問題就會有新的轉機，這個家庭才能進一步的成長。」

卓醫師的病人「華洋皆有」，但是我們看不出有什麼種族或國家的界限。「張」先生或「李」太太的問題，同樣也會出現在「布朗」先生或「史密斯」太太身上，因爲同樣是人類男女組成的家庭。所以卓醫師的這本書在國內發行，照樣值得我們細細閱讀，深深體會，也許就省下了心理諮商費用呢。

有些實例讀來「似曾相識」，卓醫師生動的描述更讓人似乎「如見其人」，常使我不禁無奈的感嘆。正如書中說的：「家庭是愛與教育的培植工廠，但是如果經營不善，家庭也可以變成一切毛病——諸如傷害與煩惱——的製造工廠。偏偏每個家庭成員，都會情不自禁的按著自己的角色扮演。於是一環扣一環，每個人都一再重複著過去的劇本模式和反應，反覆地演下去。」所以婚姻故事是演不完的。

但既然沒有人是病人，也沒有人是罪人，那麼就有「撥雲見月」的清朗，就有暢通無阻的順當。卓醫師的專業建議是：「心理治療就是要啓發人的智慧，看清自己出生的家庭，找出阻滯，發展自己的潛能和增加自己的伸縮性，可以用心把自己的軟體程式改變，所以一人求診，一家得益；夫妻兩人求診則子女受惠更大，就是此理。」

不過人性複雜，從這本書的案例中，我們也看到連心理醫師都疏通不了的阻滯。卓醫師誠懇的叮嚀：「如果實在婚姻失敗，切記只能做原諒的陌路人，而不能做記恨的仇家。人生最重要的是學會愛的施與受。」

現代人有的不願選擇婚姻，但人人都有個家庭。家庭如有問題，每個成年人都有責任盡一份改善的力量，因此「學會愛的施與受」絕對是重要的。「家家有本難念的經」，但每個屬於家庭的人不能因難念而不念。卓醫師這本書可以幫助我們做好這個功課，把好的部分代代相傳下去。

【推薦者簡介】為《聯合報》專欄執筆長達二十六年，薇薇夫人的名字幾乎已經成為「情感問題專家」和「家庭問題專家」的代名詞。長期投身兒童教育工作，歷任國語日報文化中心主任、副社長、社長至退休。著作有《一個女人的成長》《一個女人的成熟》（遠流）《一個男人的成長》《從中年出發》（一葦）等十餘本書，並主編過多套幼教叢書。

當年我們這批唸理工的年輕人手邊總有一本彭商育先生的《數學題解》，隨著歲月的增長，如今上有父母，下有子女，中間還有自己及另一半，所需的似乎是一本「婚姻題解」。《牽手經營婚內情》的出版適逢其時，它探討的問題以及提出的答案，更是遠遠超越我這一代的時空，正是老少咸宜、中外皆適、快樂幸福生活的指南。

以定一家是我家多年的老朋友，她也是休士頓城頗富盛名的心理醫師，在《世界周刊》上有她「診療室的春天」的專欄，以長年豐富的診療經驗，用流利、暢順、生動的文字指出家庭問題何在與解決之道。讀其文猶見其人，心直口快，一針見血。這本書裡範例之繁多，答案之變幻，充分反映了中國第一及第二代來美移民面臨挑戰的艱辛，它們是源自文化歷史背景的迥異，以及社會生活環境的不同。儘管如此，以定理智地、科學地一語道出癥結所在：「婚姻是一生的課題」——從適應彼此，經學習平衡，到適應空巢；她也說「相愛是靠機會，分手是靠智慧」——婚姻不能勉強。難怪這些年來，以定在北美華人社區裡廣受認可。

《牽手經營婚內情》有趣又具可讀性，能教不同的人達到相同的目的——創造及維持快樂和幸福的人生。

——**朱經武，香港科技大學校長、中央研究院院士**

我與以定的夫婿呂子樵為台灣大學醫學院七年的同學，子樵逸態瀟灑，是一位相當吸引人的醫學院學生，畢業之後赴美；這是我們那一代許多醫學院學生的生涯抉擇。如我與子樵一般的出國留學生，另一半的協助相當重要，因為當時的我們幾乎是夫唱婦隨地一起讀書、一起編織未來夢想，而為了心中的夢想，所以也一起咬牙吃苦。

共患難的夫妻關係似乎被認為較為穩固，其實不然，以定書中即描述了許多具體的實例。患難夫妻常乖違，在海外我們聽過也看過許多，更知道要維持夫妻的牽手情，是一部生命的大學問。而以定與子樵一直是同學們羨慕的一對，子樵是臨床的精神科醫師，以定為心理醫師，兩人攜手開創事業，同時也以專業幫助他人。

以定是一位才女，能書能畫；她性格開朗，見解獨到，同學聚會，時見她妙語如珠，熱誠真摯，是一位非常容易親近的朋友；可以想見她在進行婚姻諮商之際，所給人的安全感。再細看以定書中的傳訴，更能夠體會她對人的關懷，以及因為參與或是瞭解到許多人挫折的婚姻過程，而對於現代的婚姻關係，抱有一份寬容與承擔。

即令是相知再深、相愛再濃，婚姻關係的經營也不能保證一帆風順，夫妻要共同攜手面對一生的高潮、低潮、挫折、病痛，這中間有許多考驗，何況中國人的婚姻幾乎是兩個大家族的互動關係，往往在牽一髮而動全身的家族關係中，衝擊兩人的情感世界。我想與伴侶攜手走過一生的人，都有此感，也更知道維繫婚姻關係的因子極多，有時兩人的愛情無法擴大到去包容或是接受更大的親情網絡。以定在書中運用行雲流水的筆法寫來，真是絲絲入扣，發人深省。

以前每次見到以定新書的發表，心中總有一份共鳴，一次在同學會中見到以定，與之交談，以定說，下次若出書，希望我為文撰序，欣然應允，所以今日得有機會為以定的新書寫下導引：這本書以實例為經，以情理為緯，以生命的經驗與智慧、專業的學養與分析，做為當代人的婚姻導聆，以定所發揮的不僅是臨床的諮商過程，而是一個深刻的反思——如何營造這一世的牽手恩情。

祝天下有情人終成眷屬，但別忘了，這只是一生情感的開始。是為序。

——吳成文，國家衛生研究院院長、中央研究院院士我相信影響任何人一生最深遠的人際關係，非婚姻關係莫屬。華裔心理諮詢醫師卓以定博士在她多年的臨床經驗中，發現家庭、夫妻、親子之間的互動，環環相扣、互為因果。卓博士書中所描述的真實案例，讓我們看到，當婚姻觸礁時，大都可以追溯到上一代的夫妻關係，也可能反映在下一代子女的人格發展及婚姻態度上。

最重要的是，從這些案例也讓我們領悟到，當家庭關係走入逆境時，只要我們能誠實面對，適時尋求專家的協助，重新出發，用心經營，則大多時候婚姻不但可以挽救，還可能獲致美好的結局。即使最後做了離異的選擇，也可以把傷害降到最低，並且把痛苦的記憶化為成長的動力。

「預防勝於治療」，這是一本極值得向未婚男女、已婚夫妻推薦的好書。讀者可以從書中得到如何維繫美滿婚姻的啓示，以及如何解決家庭問題的指引。如果我們能從他人的經驗中學習，及時修正自己的觀念和行為，就可以避免付出慘重的代價，重蹈覆轍，把錯誤的婚姻模式一代一代傳下去。正如卓博士所說，把婚姻經營好，就是給子女最美好的遺產了！

——黃達夫，和信治癌中心醫院院長

俄國文豪托爾斯泰曾説過：「每個幸福的家庭都相似，不幸的家庭卻各有不同故事。」即使是幸運的家庭，在今日多元化、人人各有主張與獨立個性的家庭中，幸福必須夫妻兩人用心經營，因為良緣可由天定，但仍需活在人間，有美滿幸福的婚姻生活，才能養育正常快樂的下一代。其實不僅是婚姻，許多人與人相處的道理，也是如此。所以如果每個人少些執著，多些包容，讓所愛的人快樂，自己也快樂。

這不是一本人云亦云的婚姻指南，也不是一本拾人牙慧的婚姻八卦，作者是專業心理醫師，她有多年婚姻諮詢的經驗，並深諳中華傳統家庭的本色，不僅有學理的依據，還包括文化與生活習俗的關懷，這是坊間一般由翻譯而來的婚姻書籍所欠缺的，也正是本書的最大特點。

作者在全書四大主題中，由淺入深，從家庭份子間的關係到夫妻角色的扮演，結婚離婚，以及外遇問題的處理，不落俗套，也不因循苟且拘泥於傳統，卻有對傳統家庭的瞭解和包容。我相信這是一本關心婚姻生活，又有心經營幸福家庭的現代人，必須閱讀的好書。

——**簡宛，知名作家、中山文藝獎得主**

〈序曲〉從一椿還沒開始就結束的婚姻談起

常常有人或讀者會好奇的問我寫文章的目的。我想，這和我平常看病的方法多少類似，我希望人人都能擔任自己的心理醫師，給自己增長智慧，更瞭解自己，學會看清楚自己在家中的角色。我很喜歡聽對方的童年和家人的運作與互動，讓讀者或對方能藉由訴說，看清自己在家中的劇本和故事，包括父母、子女、兄弟姊妹之間的互動和各人扮演的角色。因爲人往往一再重複自小扮演慣的角色而繼續扮下去，小時候的家庭環境，也深深地影響人一生很多的行爲和想法。

表面上，我是來自一個非常溫暖的家庭。一直到上初中之後，我們家才成爲小家庭。這裡我要說的就是在初中之前，我的成長環境，這也是我第一次講出自己的一個兒時秘密。

父親和母親是來台灣的第一代移民。父親還帶了他的一弟一妹：我的叔叔和剛結婚的嬸嬸，還有仍在讀高中的姑姑；母親也帶著她大學剛畢業的弟弟。所以到我小學畢業之前，我們家是一直有叔嬸和姑舅的大家庭。

我的祖母（就是父親的母親）是一位仁慈又博愛的難得女性。自己生了七個孩子，家境只是小康，完全依靠祖父公務員的收入生活，從來對自己孩子的朋友或同學卻都視如己出。父親說，小時吃飯很少吃到肉，唯有帶同學回家才能吃到一點好菜。我的小叔叔是家中的才子，人緣非常好，又很喜歡助人。在高中時，他有一個同班同學得了當時會致命的肺病，叔叔去探望他，才知道他的父母都剛得肺病去世。沒有多久，這位同學也快死了，臨終，他就託孤似地將他那唯一的小妹交給小叔，叔叔就將這妹妹帶回家，於是家中又多了一個女兒。祖父母待她視如己出，尤其是祖母，一直將她拉拔、資助到大學畢業。

她比我小姑姑大好幾歲，又比我小叔小一兩歲。一九四九年局勢不好時，她剛好大學畢業。祖母因爲祖父重病，留在故土，就囑附當時留在身邊最大的孩子——我爸爸——帶著弟妹離開故土到台灣來。沒想到她居然突然提出想嫁給我小叔。當時祖母只想這樣也好，反正從小一起長大，一起逃難也有照應，於是她就成了我的嬸嬸。她們母女倆完全忽略我小叔的內心感受，也完全沒有徵得他的同意。

我從小在台灣和叔嬸住在一棟日式小房子裡，直到十歲時她離開我們家和叔叔正式離婚，我從來沒有看過她和小叔兩人說過一句話。小叔是個人見人愛、又有學識的人，在她面前也無言以對。嬸嬸長得很好看，但臉總拉得好長。我七、八歲時，常常無緣無故的挨她一頓罵。他們兩人的婚姻對家中每一個人影響甚鉅，只是大人識相裝成沒事。當時唯一的小孩，我，就成了她的受氣包。

離婚後，她嫁給小叔在台灣最好的朋友，對方和家父都是台大同系的教授和同事，也一直維持非常友好的情誼，小叔還去參加他們的婚禮。後來祖母在祖父過世、完成喪禮之後也來了台灣，已嫁人的嬸嬸常常帶著她的小孩去看祖母，人來人往面前都叫著娘，十分親熱。嬸嬸後來的先生有幾年出國深造，他們小孩生病，也都是小叔陪她帶小孩去看醫生。小叔從頭到尾都守著他對同學（嬸嬸的哥哥）的諾言，一直到他去世。

以上這些家中親人中，只有嬸嬸和我父母（當然我的姑舅也健康）依然健在，祖母、嬸嬸的先生和我叔叔都已先後去世。有很多年，叔叔很多朋友或同事都常替他叫屈，因為大家都曾經是社會上有頭有臉的人物。叔叔一直護著這個妹妹，從不肯說她一句不好；

一直到晚年，才鬆口些說只後悔當時結了這個婚，但從沒後悔離婚。

祖母晚年移民來美，和我有好多年非常親近。她老人家一生從不惡言，卻也有幾次露出對以前的嬸嬸很多作爲的不解。這時長大的我這才恍然大悟，原來，他們都是當時國內最好的教會大學畢業的，都是新派人。想來，過去的嬸嬸當時提出結婚出發點原是報恩，也許想叔叔本著不會對她有意，應該會推讓。沒想到叔叔怕傷了她的心，不敢拒絕。兩人成婚後，兄妹成了夫妻，完全無法適應。抑或是叔叔的拒絕，嬸嬸的冷漠？還是叔叔的冷漠和嬸嬸的拒絕？錯上加錯，這就不得而知了。

直到嬸嬸遇到後來的先生，又是叔叔最好的朋友時，她想脫離這個婚姻，卻又被罪惡感所逼，於是她到處告訴朋友，叔叔是不能人道的男人。在當時保守的時代，這是多麼不給叔叔面子。叔叔自從離婚以後完全變成另外一個人，他抽煙，他嗜酒，也結交很多紅粉知己。他還是認眞工作，但是所有賺的錢都被新交的朋友花光。好多好女人想要和他結婚，但是他眞的怕了。他再也沒有結婚。他病死時，多少他的朋友來參加，有過去的學者朋友，也有現在的酒肉朋友，大家都哭紅了眼。

這個婚姻故事中沒有壞人；但是因爲他們的婚姻卻造成好多受害者。我想小叔叔是最大的受害者，他實在一開始就該學會說「不」的。此外當然還有我過去的嬸嬸，她原以爲是報答養育之恩，結果反倒傷了她最不想傷的人。幸好他們沒有子女，但是不可否認的，他們也多少傷了我這小侄女。有好多年，我一直都不相信有什麼理想的婚姻。他們倆從沒吵過架，卻天天不說話地冷戰，突然一天，嬸嬸就再也不回來這個家了。在我的記憶中，後來我再見到她，她也從未理過我，好像完全不記得我似的。這樣的婚姻眞是可怕。

但是小叔卻給我很多美好的回憶。記得我大學畢業出國那天，他跟著大家來送我，哭得比誰都兇，坐在那裡，拿著一條大手絹，哭濕了一邊，又疊好再哭濕另一邊。面對一大堆同學，我看到十分羞窘，因爲他當時還是剛四十出頭、又很英俊的中年人。我忙著安慰他說，您不是馬上就要出差來美嗎。他還幽自己一默說一邊是替他自己哭的，另一邊是替他哥哥（我爸爸）哭的。我剛生了大女兒就全家去看他，他一直搶著抱那小女兒，邊說給她點武俠小說中的睡穴，咱們就可大玩一場。最後一次看他，他已經罹患淋巴癌，剛回復體力。那天晚上，外子說這次來台忘了帶內衣，他聽了好高興，有了服務的機會，搶著走在大家前面，說對面遠東百貨就有，然後又搶著付錢。這樣一個人人都讚的大好人，原本應該有一個快樂又幸福的人生，可惜陰錯陽差，爲了一段完全沒有開始就結束的婚姻鬱鬱而終，眞是令人惋惜又難過！

心理醫師聚在一起的時候，常常會彼此逗著說，世上沒有偶然的事。Nothing is accidental。我想，我會選擇這個行業，會選擇寫這些有關婚姻的文章，絕對不是偶然的吧。（註記：爲保護患者隱私，書中的案例都經作者細心修改。）

第 1 篇

Like Father Like Son

1 先看家庭再談心理

每個人的思想模式、價值觀念和言行舉止，都深受自己成長的家庭影響一生。所以夫妻的相處和父母子女的應對，絕對是會一代傳一代的。

從小在父母的爭執中成長的小孩，在年紀很小的時候，就得面對人生最重要的兩個人的明爭暗鬥。諸如吵罵，偷窺，撒謊，虛假，更在不知不覺中以爲，原來男女表現或溝通方式就該如此。於是等到他們長大，自己有了一個男女親密的關係時，爭執時也會以類似或同樣的方式表達和宣洩。除非是自己或對方覺得不妥，不然就會一直這樣繼續下去。

哪家夫妻不吵架？

猶記得第一次看到史密斯夫婦的情形。先生是在台灣教書實習時認識大學剛畢業的太太，兩人很快戀愛，不久就結婚，到美國生活。他們倆已有一對可愛又漂亮的混血兒女。結婚以後，先生總吵著要帶妻子去看心理醫師、作夫妻諮詢。每次太太都不肯去，總認爲先生大驚小怪，這次是洋老公的堅持，太太拗不過才來的。太太說要看就一定得看中國醫師。

於是兩人就這樣拉扯地進來了。太太長得十分秀氣可人，笑瞇瞇的說：「我眞的不知道爲什麼他一定要來看什麼心理醫師？」我看著史密斯先生，他說：「我們爭執的方式，讓我對我們婚姻的前途很擔心。」

此時的太太顯然聽煩了，搶著說：「哪家夫妻不吵吵架的！」

◎開放心胸談成長背景

於是我就問他們常爭執嗎？太太馬上說眞的很少，先生卻不同意的搖搖頭。我接著說我們換個題目探討吧，先談你們兩人的成長背景，好嗎？

太太興致高昂的告訴我，她的父母都是台灣的中學老師，這一兩年先後都已在台過世了。我問到她的父母感情好不好，如何吵架時，史密斯太太想了想，說：「我可不可以用中文講？」

奇怪的是，史密斯先生居然好似聽得懂，馬上作個手勢請太太自便。於是太太開始說了：「我覺得我們上一代的夫婦是有恩情，很難用愛情來形容他們之間的關係。我父親是一個十足的正人君子，口不出惡言也絕不動手，是一個非常有自制能力的人。加上我又是家中的么女，在父母的晚年我常看到他們起爭執。母親本來脾氣就不好，晚年更是壞得離譜。

「一般都是母親爲了小事嘮叨，諸如父親又沒去洗澡啦等等。母親就一直罵父親這、罵父親那，有時越罵越氣，就用手去搥父親，甚至會騎在高大的父親身上打罵，述說過去的陳年氣事。父親只會用躲的和閃的，絕不動手或回嘴。

「但是後來父親患了肺癌惡疾，都是母親一口飯、一把尿從頭到尾的照應。一直到父親嚥下最後一口氣，母親都是無怨無悔。她以往幾近暴躁的脾氣，在那一年多完全消失無形。父親走了不到一年，母親也突然中風過逝。所以儘管他們常爲小事爭吵，我會說我父母是一對感情深厚、經得起考驗的夫妻。」

邊說邊哭的太太接著用簡短的英文翻譯給先生聽。先生非常注意的聆聽，明顯地他以往並不知道。

◎吵架也是一種溝通方式

然後我開始問史密斯先生的成長家庭。他說他的父母是住在威斯康辛州鄉下的農夫。他們世代信仰天主教，父母兩人從來都是胼手胝足，分工合作的帶大他們七個兄弟姊妹。「我們家中每人都有自己的一份工作，彼此照應和幫忙。從來我在成長中就根本沒看過人吵架。我父母的感情向來十分親密，現在都八十好幾了，仍是常手牽手的一起去教堂呢。」

他接著說：「我是唯一離開家園的，其他的家人不是務農就是在威斯康辛州附近工作。我們每年都在耶誕節長聚一兩週，大家都有很美好的家庭。我從小比較喜歡讀書，申請教職之後才會來這生活。我捫心自問我們夫妻的感情也不差，只是不知道爲什麼，每次太太一下子就罵我罵個不停。我根本不會吵，也不知該如何改進。太太又不肯看心理醫師。最近在爭執後，我常常會失眠和緊張。於是我自己去看了醫生，也開始在吃抗憂鬱藥物。」

此時的太太突然打斷先生說：「你眞是的，怎麼沒告訴我你吃藥的事？」

於是我問他們，經過兩人的細訴是不是比較明瞭彼此，兩人都點頭。臉上的表情都柔和許多，太太又笑了：「原來吵架還得學的。」我加了一句話：「夫妻吵架在妳家是家常便飯（part of life），但是在妳先生家卻是從未有的現象，他自然會大驚小怪。」

史密斯先生也聰明的說：「原來吵架也是一種溝通的方式，並不見得是對我的人身攻擊啊！」

我又加了兩句：「但是你們倆卻都想要改善現有的婚姻，那麼未來一定會更好！」於是兩人都笑了起來……。

在任何健全的家庭中，父母和親子等運作，或是一般的道德觀念，都會代代相傳的。就像我們的父母不喜歡我們過早結交異性朋友，認爲會影響學業，我們雖早已在不同的時代帶大自己的子女，仍然多半過分保護子女，不習慣子女在就學時代太早結交異性，也不喜歡子女帶著異性朋友隨便到家裡串門子。即使試著學開通點，我們也很難主動和子女討論這個課題。在當今這個時代，男女交往實在非常需要學習和體驗，很難一試就成功。

其實如果我們和子女相處融洽，他們會自然而然地把感情問題或結交的異性朋友都帶回來。但因我們從小都被父母教育成「一切只要是爲了你好，什麼都可管的」，所以很自然地只會用約束或批評的方法管教子女。如果能多和子女用平等又平常的心態分析、講理、溝通，眞正謙虛地共同學習，那麼家中氣氛就會大大不同。

管你是爲你好？

張先生和太太突然致電要掛急診，秘書說他們今天已打了三次電話，一定要明天一大早來。翌日下午，夫妻慌張的進來，兩人都搶著講話，先生更搶在前面說他有寫下該他先講。我看氣氛太沈重，說不如一人分一半時間，後說的可到外面準備什麼該說的。於是太太馬上站起來，說：「你先講，我到外面去準備，到了我的時間再進來。」

◎受寵的女兒，憂心的父親

先生看到太太一走，馬上打開手寫的筆記。原來，又是一對擔心自己子女變壞的父母。先生拿出的筆記第一張紙，是寶貝獨生女從小到大的就讀學校和總成績，第二張紙是從小迄今的獎狀和課外活動。由此可見，這個女兒是多麼受寵愛。爸爸邊給我示範，邊拿著她的近照，邊又說著自己的女兒是如何的優秀等語。

原來女兒是從小讀私立小學、初中，到高中，爲了讓她專心讀書，張太太又特地讓女兒考進一所私立女校。女兒從小乖巧又聽話，根本沒什麼令父母頭大的事。一直到高二下，因爲擔任校刊的編輯，女兒開始也有更多接觸校外的機會。

她開始是訪問各亞裔族群的活動，接著又訪問本地最近的文化展覽等。就是在這些活動中，女兒認識了第一任男朋友。自從結交這個男朋友之後，家中平順的親子關係馬上惡化，父母愈是反對，女兒就愈是黏著對方。

我問張先生爲什麼這麼反對對方呢？張先生說其實他沒那麼反對和激動，只是太太現在天天以淚洗面，爲了幫太太他才來的。太太是因對方根本是公立高中畢業之後就在社區大學邊讀邊打工的混混兒，這樣子吊而郎當的男人，怎麼配得上自己的女兒，因而難過！偏偏女兒就像中了邪似的著迷，怎麼勸也不聽話。本來心想一旦上了大學，兩人分別兩地，自然就會分手。沒想到女兒上大學之後不久，對方也跟著轉進那所大學附近的社區大學。父母今天同時來求救，是因爲發現兩人早已在大學同居了一陣子。爲了此事，太太和他不知吵哭了多少次。

張太太不久也單獨進來，還沒說話眼眶就紅了起來。她邊用面紙擦著流不完的淚，邊說眞是家門不幸啊！張太太急著問我，有沒有什麼方法可以喚醒被愛沖昏頭的女兒，或是有何妙方可以破壞他們的關係？還問我可不可以主動打電話勸導身在迷途的女兒？

我反問她，妳女兒一定知道是你們教我做的，她怎可能會聽呢？於是她又無助的低聲飲泣。

◎用自己媽媽的方式當媽媽

我開始作夫妻諮詢，邊問他們倆從小的家庭背景，邊向他們解釋，其實我們自家的成長對我們如何帶大孩子有很大的影響力。於是他們倆很努力的作這份功課。兩家都是從大陸移民到台灣的外省人家，父親都是高等的公務人員，並且還間接相識。張太太說她的父母非常好，什麼子女的事都參與，從小學開始，母親就常去學校作義工。母親本來上班，爲了子女上中學就不工作，責無旁貸專心地作全職母親。

我問她，那麼她老人家如何看待妳結交朋友呢？張太太說，她因自己也是衆多兄弟中的獨女，母親對她盯得最緊。上大學之後，有很多男同學對她表示好感，都被母親想盡方法破壞掉，因爲母親認爲他們都不夠理想。於是激起張太太的反感，她就在很短的時間和早已相識的張先生戀愛。張先生當時大學快畢業了，條件也不差。但是張太太的母親總認爲，年紀輕輕的女兒原可以多看看別的機會，爲什麼要這麼早定下來。後來張太太就和張先生暗通款曲，免得和家中衝突。然後到了美國，就和早在那裡等她的張先生閃電結婚。

張太太說，自己母親眼看生米已煮成熟飯，也只好接受。她說現在自己做了母親，才能體會做父母的心情。我於是反問她：「如果重頭來過，妳會嫁給張先生嗎？」

張太太居然連想都不想地說：「我才絕對不那麼早結婚，我一定會聽我父母的話，多看看，也多玩玩。我先生以前就結交過幾個女朋友，多看多玩，後來才選上了我。嫁給他那窮學生我的確受了不少苦。加上他個性極不體貼，又不感性也不敏感。做父親的一點也不會和自己孩子談貼心話，反倒和女兒的男友去打球。早知如此，我絕不會這麼早結婚的。正因如此，所以我才會這麼想破壞自己女兒的這個男朋友。」

我說：「妳有沒有想到，妳這樣子其實是適得其反？完全重複了自己父母的方法，孩子也如同妳過去一般的反抗。不要忘了，古今中外所有的偉大愛情故事，都是因外在的壓力反抗而成的。」

◎不給子女壓力的爸爸

張太太的表情恍然大悟。此時我請張先生談談他的成長家庭，張先生想了很久，才說自己的父母不大管子女，夫妻兩人常因工作一起去應酬，他們倆給所有子女很大的空間。張先生說，不給子女壓力是父母最了不起的長處。

於是我問他世上沒有完美的人，如果可以改進的話父母該如何？張先生說自己的爸媽應該學會多和子女親密些，自己到現在都和父母沒什麼話聊。我接著反問他：「你會和女兒聊嗎？」

張先生愣了一下，才說：「這大概是我的弱點吧？連太太都常抱怨呢！」

於是我給他們的習題是兩人的角色互換。從今天開始，張太太做以往先生的角色，多和女兒的男友交朋友；張先生則得常找時間和寶貝女兒多貼心的聊聊，既然他表示自己原本個性不會和人親密，現在看女兒這麼認眞，爲了愛女一定得試著表達自己內心的看法。

此時張先生主動開口了：「我以前也交過別的女友，就是和對方有了什麼親密的關係也無所謂。當然現在和過去時代是大不同了，有經驗的反倒可以找到更好的對象。就怕過早太認眞才是問題。」

我說：「你們先這樣做試試看。」

沒想到不到半年，張家的女兒就和對方告吹，最近也開始在同一所大學結交條件較理想的男友了。

影響一生，代代相傳

筆者在心理治療中，最喜歡用家庭治療的原理來看人。因爲在家庭治療中沒有所謂的病人，也沒有人可能會背上衆怒難犯的大罪。一個家庭是屬於一個小社會或體制，當一家有某個人的行爲出問題，其實是這家的家庭運作出了阻滯問題。如能將阻滯的地段打通，個人的問題就會有新的轉機，這個家庭才能進一步地成長。

我們每個人都不是獨立的人，每個人都好似是一部特別的小電腦。我們都是被套入自己出生的家庭的電腦程式運作而連接行動，每個人在家中扮演的角色不同，每個人的思想模式、價值觀念和言行舉止，都深受自己成長的家庭影響一生。所以夫妻的相處和父母子女的應對，絕對是會一代傳一代的。

心理治療就是要人啓發智慧，看清自己出生的家庭，找出阻滯，發展自己的潛能和增加自己的伸縮性，可以用心把自己的軟體程式改變，所以一人求診，一家得益。夫妻兩人求診則子女受惠更大，就是此理。

2 另類第三者

家庭治療理論大師莫瑞·博文最重要的理論之一，就是三角關係，這是指家中常會有兩個人聯合對付一個人的三角問題。

婚姻中最容易產生衝突的事，不外是夫妻彼此之間爲了原有的家中親戚、金錢、子女和性愛等觀念不同而產生矛盾。一般對自己的原有家庭愈親密的人，這些家人也就愈容易和自己的配偶產生三角衝突問題。因爲結婚常常並不是兩個人的事，而是兩個家族的婚姻關係。

伊底帕斯情結

所以中國幾千年來都有這種嚴重的婆媳問題。宋朝名文學家陸游和自己愛妻，就是活活被母親拆散的，以至於他一生作了許多美麗又哀怨的詩詞來懷念愛妻。正因婆媳問題的普及，就更應該將它拿出來討論。原本世上的事沒有絕對的對錯，只有想法不同而已。

在心理治療的個案中，母子親密情結是常常出現的。希臘神話中的伊底帕斯（Oedipus）就是自己殺了父親，而占有母親；然後竟然親手把雙目挖出，讓母親對他有更多的關愛。心理學稱之爲伊底帕斯情結或戀母情結（Oedipus Complex）。這情結也可以是女兒對父親的情結，只是父女不如母子來得廣泛。在家庭治療中，伊底帕斯的希臘悲劇，在各國、各家都有不同的版本一再重複的上演，這也反映了他們各個與自己父母之間的複雜關係。

二〇〇〇年八月底的一份心理雜誌，就特別將義大利的家庭拿出討論。義大利是西歐工業國家中結婚與離婚率都十分低的國家，仔細研究原因才知道，義大利的男人雖是歐洲著名有魅力的情人，卻和母親特別的親密，喜歡和母親同住，吃自己母親燒的菜，一旦和情婦生了孩子，也特地帶回來給自己的母親扶養。

義大利這個現象太普及，所以有一個特別的義大利名稱來形容這種母子情結，稱作mammone，也就是母親的長不大兒子（Mama's boy）的意思。正因它太普遍，一位義大利的知名女法官帕拉·達弗利（Paola Mescoli Davoli）認爲事態太嚴重，所以她在這兩年特地開課。她以多年民事法庭的法官經驗，作了多年的統計，她發現，每年最少有三成以上的離婚是因婆媳的問題所致，因爲一旦發生衝突，護母親的義大利兒子總是站在母親這一邊。

達弗利教的課程在中、北義大利相當出名，雖然她非常鼓勵婆婆和媳婦都來上課，但明顯的是媳婦參與的更多，有些甚至在課堂上說出自己的遭遇時會涕泗縱橫，有的媳婦甚至說婆婆居然請私家偵探窺探她的生活缺點。達弗利法官教導的方法十分簡單又有效，她教婆婆不要和小倆口一起去度假，也不要處處挑剔媳婦的烹飪不夠好。她也教媳婦要是實在沒辦法和婆婆同住，三十六計走爲上策。達弗利法官說，常常有出走的媳婦離家後還時時感謝她呢。很多時候，先生是陪著自己的母親一同來上課，她會教先生自己解決自己的婚姻問題，而不必將母親扯進來。這門課程現在受到當地天主教堂所肯定和支持，每次上兩小時，堂堂都擠滿了近兩百人呢。

在兒子身上寄託所有

讀者如去過義大利，就會發現義大利人其實和中國人有很多類似的地方：非常重視家庭，也常常一大家人聚在一道。中國人的母親也主內，幾千年來都是將自己的兒子當成自己的事業來經營，有好的兒子就有光耀又安逸的晚年，養兒防老的觀念就是這個道理。所以中國的母親最寄以厚望的往往是第一個兒子，或是特別有出息的兒子。

即使是現代的中國母親，依然常常情不自禁的將整個心神都放在子女——尤其是兒子——的身上，反倒是母親和父親之間沒有那麼親密。常常在母親心目中，兒子的地位是擺在先生的前面；尤其是一個對婚姻已失望的妻子，更是將自己所有的精神和寄託，全部繫在兒子身上。

爲了維持這個傳統，不知道犧牲了多少兒子的婚姻，甚至前途。偏偏很多母親自己是受了最高等的教育，也自以爲一點都沒有重男輕女；但內心深處仍是百分之一百的向著兒子而不可自拔。以前廖輝英的名著《盲點》，就是描述一對寡母與獨子的親密，造成獨子與太太的婚姻分離。我個人認識這位名作家，聽她說《盲點》是她衆多著作中讀者回響最熱烈的作品。可想而知，因爲太多讀者可以從周遭的熟人身上看到書中裡的主角身影。

一對拆不開的母子

張太太是一個頗有姿色的中年婦女，說是由其他美國精神醫師介紹來看我的。她一進來就非常客氣，談吐優雅，穿著也頗有品味。她說她這樣地爲了兒子來看醫生，也已不知多少次了。這些年來，從中國大陸、香港到美國的醫生，不知道看了多少個。她說爲了兒子個性內向，從小沒有朋友，功課又不好，只好移民來美。兒子是家中唯一的男孫，被爺爺奶奶寵壞了。爲此，她想換一換環境，說不定兒子可以變好，這才搬來美國生活。

◎難帶的孩子

張太太一邊微笑，一邊有條有理地說著兒子的成長經驗。張太太從婚後就和先生住在公婆家，從孩子出世到她帶孩子來美，這個兒子從沒好帶過。我問她爲什麼，她笑著說：「孩子剛出生到兩歲都和我們睡一間屋子，兒子只要夜裡有一點聲音，婆婆就會衝進我們房裡，她從來都不准孫子哭一聲的。她老人家每天晚上臨睡前，還會再三囑附我們倆不能鎖門。我們那時還是新婚，每次先生要親熱時，我都緊張得不得了……」

張太太接著說：「這些年來，我都是職業婦女，就是在美國，我現在也是一直在工作。這個孩子現在愈來愈古怪，自己沒有朋友，也不准我有社交活動。我上班穿的衣服，不能露出一點身體。我的一舉一動他都要管，我下班後連電話都不准打。我是虔誠的教徒，最近這一年連週末去教堂他都不准我去。」

我問她這裡有親友嗎？這才知道她的公婆和先生的兄弟都在加拿大。正爲此，她才會帶孩子來這裡生活，說是因爲爲了孩子的管教方法不同，早已不再和他們往來。這時我才注意到，張太太居然絕口不提自己的老公。於是我問她先生現在在哪裡，她笑笑說他在香港上班，先生只會做好兒子，不會做好先生和父親，他有時會打電話來，也會按時寄生活費給他們母子。這樣子的生活大家早已習慣了。

張太太又馬上關心地問：「現在美國有最好的西藥，不知有沒有什麼藥可以治好我兒子的暴躁脾氣？能令他上課更專心、成績更好一些？」

我於是問她能否和她兒子單獨談一談。她立刻說兒子個性內向，做母親的她比較能替兒子表達。說著說著，兒子走進了我的辦公室。哇，好大的個子，已經是六呎之軀的大人，頭髮也染著時下流行的紅褐色，髮型中長，類似歌手陳曉東的酷哥打扮。張太太看到兒子進來，立刻將自己的椅子搬近兒子邊坐。兒子還挺禮貌的叫了我一聲阿姨。

◎不敢結交朋友

於是我就對張太太說，我想單獨和妳孩子談談。張太太問兒子，媽媽可以在外面等你嗎？兒子點了點頭，張太太這才放心的走出去。

我問他叫什麼名字，他靦腆的說：「叫我Peter吧。」他說沒想到我是中國人，好高興。我說我也很高興，可以不必用英文談話了，好自在，於是兩個人都笑了起來。我問他知不知道爲什麼會來，他說媽媽要他吃藥，因爲他脾氣壞，課業又不用心。我又問他：「我很想知道你自己的想法，你覺得什麼是你心中最大的煩惱？」

Peter想了一下說：「我最大的煩惱是，我沒有女朋友。我好想要一個女朋友，最好能長的像中國人，又有美國人的開放和活潑、自然。」

我說：「你已經過了十八歲，想要有一個女朋友是很正常的事。你想你爲什麼沒有女朋友呢？」

Peter想都沒想說：「我不會有女朋友的。因爲我這麼大了，還天天和媽媽睡在一個房間。就算是學校的男同學我都不敢結交，因爲我好怕他們來我家來找我，怕他們看到。」他說完好像頓時輕鬆一些。

Peter接著說，爸爸買的房子其實很大，有四間臥室。上次爸爸來後看了很生氣，也不願意再來美國了。因爲他來的時候，也沒法和媽媽睡在一起。他並和我解釋說因爲自己睡眠一直不好，怕會影響明天的課業，所以媽媽說爲了他的學業成績，兩人可以睡在一起。

我用專業的態度問他會不會性衝動，他很不好意思的點點頭。於是我見事情嚴重，只好再請張太太進來。張太太早已等在門外，馬上進來，並說著：「我告訴您了，我這兒子非常的內向。這麼多年來，看病時多是我替他和醫生講話，今天是頭一次他自己和醫生說話呢。」

我這次不等她說完，就問她是不是眞的她和兒子天天睡在一間房間。張太太這才突然收起笑容：「我不在旁，他是睡不好覺的。你要我怎麼辦呀，我天天得上班，我也需要有好的睡眠才能工作呀。」

◎三角拉鋸戰浮現

我告訴張太太，睡眠固然重要，問題是兒子已經長大成人，也已經有正常男人的慾望和本能了，應該立刻兩人分屋睡。他現在想交女朋友，表示有結交異性朋友的需求和獨立成長的企圖。我還沒說完，張太太插嘴說兒子怎麼有本事交朋友，他連睡覺、念書都要人陪。我繼續打斷她說，但是妳準備這樣子陪他多久，他明年就要上大學了。

張太太搖著頭說，你不知道如果不和他睡覺，我更受不了他的古怪脾氣。最絕的是，從頭到尾，我都注意著Peter的表情，他一直在點頭同意我的言論。此時的他突然冒出，媽媽可以回香港和爸爸同住，我可以和爺爺、奶奶住呀。

一向表現冷靜的張太太，突然非常生氣的說，他們（指公婆）雖然反對我和你睡一起，但他們的管教方法也實在令人不敢恭維，我怎麼也不放心將你交給他們帶。於是，此時這個家庭明顯的三角拉鋸戰就展露無遺。

常常在有問題的青少年的後面，就有一對不能相處的父母。家庭治療理論大師莫瑞・博文（Murray Bowen）最重要的理論之一，就是三角關係，這是指家中常會有兩個人聯合對付一個人的三角問題。他認爲當一個家庭中，兩人的系統遇到問題時，就會很自然地將第三者扯進這個系統，如此一來，可以很自然地減輕原有兩人之間的情緒衝突。

這就是爲什麼父母不和，子女會不知不覺地加入他們的聯線，而造成三角關係。而且可怕的是，它會一代傳一代的禍延下去。

張太太和先生、婆婆是標準的三角問題。Peter和他母親、父親（或祖父母）又是一個難解的三角關係。這樣的三角關係已經不知下傳多少代了，如果不改，就會像義大利的那些家庭一樣，每一代的先生都成了母親長不大的黏寶寶，還不知道要再傳幾代，眞是好可怕。

剪斷臍帶，希望常在

在中國的家庭中，Peter和很多生活在家庭三角關係的孩子一般，只是他的表現是因爲和母親相依爲命，和母親睡在一起而已。這種家庭多半有一個對先生完全失望的母親，就將全部心力放在兒女身上，造成母親與兒女有一種難分難捨又難解的糾纏關係。而三角關係中的父親，一般都是似有若無，存而不在，他們不見得滿意自己老婆的教導方法，但也樂得輕鬆，將管教子女的重責全推給孩子的母親。高雄長庚醫院就出現過類似案例，一個母親帶著三個兒子看病看了十多年，也和已長成的青少年男孩睡一起。醫生說她和先生感情多年不睦，這母親才是有病的病人。

其實只要母親肯打開眼睛，改變自己，兒子也就能慢慢學會獨立，當然獨立的路上兒子仍可能摔跤。但是母親的阻力一般都很大，她們會說：「事情不是這樣的，我和兒子其實並不常見面。兩人互相避著，常常大吵大鬧，簡直是勢不兩立。根本是兒子的問題，心理醫師只要肯聽我的，改變了兒子，我才懶得管他呢！」

當然兒子絕對是有問題，但是這母親除了兒子，沒有其他的偉大任務。兩人成了惡性循環，兒子將母親捏緊，母親也放不下兒子。他們即使不見面，也能體會對方的心意，兩人糾纏得一場胡塗。唯有一方勇敢剪開臍帶，兩個人才有獨立的生機和希望。

做母親的人如果能明智地自動放下，讓孩子自己逐漸面對問題，或求助於專家來處理子女的問題，年輕的子女就絕對有獨立成長的希望；否則代代相傳，即使兒子結了婚，作母親的也處處干預和參與，眞的是會影響兒子的婚姻而不自知。

3 婆與媳：千古難題

到底是婚姻先不穩呢，還是親情先經不起考驗？究竟是親情重要，還是婚姻珍貴？是兩者可以共存，還是非得你死我活呢？眞是各家不同，因人而異。

婚姻應該是人生另一個階段的開始，一個幸福又歡喜的開始。相愛的男女攜手走過紅氈，應該是在所有家人和親友的祝福中完成的。兩人終於有了他們自己的愛情小窩。偏偏生活的考驗重重，加上來自不同的家庭想法和輕重緩急原本不同，於是，極細微的生活瑣事，都能造成夫妻間的齟齬和勃谿。如果又有他人的干預或參與，就會落得夫妻之間產生更多的叫囂和嫌隙。

親情重要？婚姻第一？

對於移民來北美的中國人，儘管離開自己原本的家到美定居，又自己重組自己的小家庭，但心中總是想著如何讓留居在母國的父母來玩或小住。於是盼著、盼著，總算等到懷念的家人來臨。沒想到來了沒有多久，自己的小家庭原有的結構也變了樣。尤有甚者，為什麼你的父母和我的父母來美的表現相差這麼多。於是夫妻也開始比較你的和我的而爭執連連。偏偏此時原有的家人也不管青紅皂白的護著自家人，因為胳膊總是該往裡邊彎嘛。這一下子，兩派對立的人馬群起叫罵，原有的和諧頓時消散得不知踪影。此時夫妻常常都搞不清楚自己應該幫誰，誰是第三者，誰才是自己最親近的人。尤其中國幾千年的傳統最注重親情，哪有有了媳婦（或夫婿）就忘了爹娘的道理呢。

別忘了前面提到的三角理論，當一個兩人系統產生問題或矛盾時，就會很自然地將第三者拉扯進他們的系統中，這樣才會稍稍減輕兩人的情緒和緊張。所以到底是婚姻先不穩呢，還是親情先經不起考驗？究竟是親情重要，還是婚姻珍貴？是兩者可以共存，還是非得你死我活呢？我想眞是各家不同，因人而異。讓我舉兩個案例，看看這個幾家歡樂幾家愁的不同處吧。

總司令媽媽

一天，一位老朋友突然打電話直接和秘書掛了急診。這位男士是一位能幹的青年才傻，他大學畢業後出國來美深造，拿了工程碩士，就到一家大公司任職，短短十年間，公司就已將他陞爲資深管理者。程先生現今手下有差不多兩百多位各類工程師，顯然公司相當看中他的領導天份。當我打開門看到他和太座，以及身旁一位雍容華貴的老太太坐在候客室時，眞是嚇了一跳呢！

◎從裡到外統統管

程先生向我打了個招呼，就自己先進我辦公室坐下。還沒等我說話，他就開始解釋自己今天爲什麼來，可謂做事眞有效率。他說自己的母親從來都是家中的總司令，父親多年在官宦生涯中的軍師，也是家中這個精明又能幹的母親。她是裡外一切全部管，家中六個兄弟姊妹就交給他這長男管。小時，他記憶中，從沒家人不敢不聽她的話，因爲母親說什麼就是什麼。

程先生笑著說，他當然知道母親也有她的缺點，家中以前的下屬就曾笑說，母親是總司令的總司令。

程先生接著說，剛娶太太時，母親十分高興。他非常晚婚，是家中最後一個結婚的，沒有和以前留在國內的女朋友結婚，到三十多歲才在美國結婚。但可能也是因爲晚婚，所以剛結婚就想生孩子，卻一直沒有消息。母親比誰都急，就在國內到處求偏方，讓他的太太心理壓力非常大。到最後，居然自作主張在親戚中替他們收養了一個兒子，令他都感到太過分。而且這次母親來美，又自作主張將這男孩子也帶來。太太倒是和這小孩子很投緣，但是母親來後，夫妻之間情緒緊繃，常常爲了小事起爭執，母親總要插一腳。昨天晚上更是因爲吵架，母親事後安慰他說，你別擔心，太太又不是不能換，古時就有人說過換個太太就如換件衣衫一般方便。沒想到太太居然剛好聽到，非常生氣的說她準備離婚算了。

程先生接著開始批評自己太太的不是，明明這些他都和太太事先溝通過，太太應該也知道母親只是暫時來這裡住，爲什麼不能容忍和尊重，這麼沈不住氣，害他夾在中間難做人，眞是情何以堪啊！他難過的大嘆一口氣，就再也說不出話來。

我很同情程先生擔任的角色，而他能趁百忙之餘，仍然帶著妻、母一起來，眞是非常不容易，這不啻就是表示大家都有責任。我表達了對他的支持和同情，但也趁此機會表示，當他太太也不簡單，自己沒有生育，還要馬上接受婆婆完全沒有尊重自己、逕自作主張領養的孩子，這可不是每個女人都能做到的。

◎婆說婆有理，媳說媳有理

程先生想了想也同意了。我說就讓我先見見伯母吧，到底她老人家是長輩，又是遠客，於是程先生走出去，我親自迎接程伯母進來。

程伯母說話帶著濃重的湖南腔，我笑著說自己的祖母就是湖南人，程伯母聽了很歡喜，馬上說我們湘女都多情，儼然將我當成同鄉了。我說您的小孫子是不是很可愛，怎麼媳婦會一見就歡喜？老太太立刻有了成就感，急著告訴我這孩身家清白又可愛。我也讚美老人家的大愛心，於是氣氛非常和睦，我說您不只會選孩子，這個媳婦也選得好。老太太這時可嘆了氣，說別提了，不尊重長輩。我說可是她居然能愛屋及烏，也算是難找的現代好媳婦。老太太居然邊嘆氣、邊同意，說是在台灣的幾個媳婦個個會作秀，沒一個是眞心孝順的。所以在台灣，她除了偶而去看住在南部的一個女兒之外，大部分時間都是住在自己的老窩。

等老太太出去之後，年輕的程太太就單獨進來了。她是一個嗓門大、看來樂觀又想得開的人，她說其實自己老早就知道婆婆的個性，加上她只是來玩幾個月，又不是要住一輩子，能忍的眞的都忍了。只是婆婆什麼事都要做主，而她和先生老早都習慣自己做主，所以最近常常爲了一點小事和先生吵，先生最近火氣也特別大。她還發現，在她們夫妻正在吵得火爆時，婆婆更常會火上加油，非常會做小動作，她是最最不能原諒婆婆如此。

接著，她開始形容前幾次和先生吵嘴時，婆婆特地趕忙從自己的房間出來看熱鬧。有一次她發現，在聽到先生數落她時，婆婆居然樂得坐著搖頭晃腳，一副得意忘形的樣子。昨天更是離譜，在他們倆吵在氣頭、不說話僵持時，婆婆居然偷偷低聲在屋外勸先生，你的太太既不能生育，又不聽話，不如像換衣衫般休掉她算了。被她當場聽到，她才會提出分手的。

◎難解的三角習題

於是我再請他們三人同時進來。婆婆當然大搖大擺的走在最前面，一進房就坐在我旁邊的太師椅。接著兒子緊跟在母親的後面，馬上拉起一把椅子就近坐在母親的旁邊。媳婦走在最後面，拖拖拉拉才進來，進來後，故意將椅子挪到門口邊，離那對母子眞是好遠。我看在眼裡，沒說什麼，故意從頭再問到底有什麼問題。主講人是程先生，偶而老太太插幾句；年輕的程太太則不發一語，有時臉上還露出不自然的冷笑。此時，這樣明顯的三角習題任誰也看得一清二楚。

後來我也試著單獨請程先生夫婦兩人來作夫妻諮詢，他們也眞的吵了起來。太太無非是請先生瞭解她的立場，她實在無法忍受婆婆的攪局，可否請她早點回去。先生也請太太瞭解他的處境，他明白自己的母親的確過分，也佩服太太可以完全接受這個抱養的兒子，但希望再給他多一點時間；太太卻認爲先生是託詞，於是兩人急得都哭了起來。但是屋子裡的三個人，包括我，都可感受到他們對彼此的濃濃愛意。我也特別提出要他們體會，於是就這樣沒有再出現在我診所。

過了大半年，有一天我去中國城購物，遠遠看到一個孕婦和先生、兒子。居然是他們！於是大家客氣寒暄幾句，才知道婆婆後來又住了一陣子。一直到程太太意外懷孕，大家都喜出望外，此時程先生才提出要請岳母來幫忙，老太太也識大體，快快樂樂的回台灣，終於才有了這皆大歡喜的結局。程太太笑著說，眞得謝謝肚子裡的懂事女兒呀，原來已經從超音波中看到嬰兒的性別。兩人也都非常高興將成爲一兒一女的爸媽。

不對眼的親家

類似這樣的婆媳問題，也發生在中國大陸的新移民家庭。小丁和妻子小紅都是從北京來的，他們在大學時就戀愛。當時兩家家人就早有衝突和矛盾：女方父母都是黨員，而男方父母都是學校的老師，兩家其實在北京有些認識，從來都格格不入，談不上話。

他們兩人可說非常幸運，先後都申請到同一所美國大學念研究所。兩人又都改行念電腦，一念完也都順利的找到理想工作。也是緣份，一直都在一道兒，也就順理成章的結婚了。

◎舊仇新怨隨時引爆

等到小紅懷孕時，兩人這時才感覺非得找父母來美幫他們帶孩子不可，也就開始了一連串的爭吵和惡鬥。小紅生產前三個月，她的母親先來了，一直住到孩子近一歲。其間聽小丁說，母女倆也常爭執，做母親的本來脾氣就暴躁，口不擇言，兩人常有對罵的局面。

這時，剛好小丁的父母來美手續也辦下來了。於是像接力一般，小紅的母親一走，小丁的父母也到了。其實，如能相處的話，父母一來，兩夫婦也可以安心的上班，回到家又有煮好的飯菜，眞是兩全其美的好方法。

但是本來就有過節的兩家，一旦家中壓力增大時，過去的結怨和新加的矛盾就成爲家中的定時炸彈，隨時爆炸、起火。第一次看到小紅和小丁和他們的嬰兒時，就令我感到他們好像剛從戰場中逃出來似的。小紅先帶小孩走進來，她長得十分清秀，臉上一點也沒打扮。長直的頭髮，就這麼隨便的用橡皮筋綁了一個馬尾，因爲來時匆忙，頭髮又多，有些頭髮已經鬆脫，垂在臉邊。手中的小孩很乖，睜著兩個成熟的大眼睛直看著我這生人。

看著我儘對小孩笑，小紅先開了口說，大人吵架，就可憐了小的，這兩天孩子晚上睡不好，白天也吃不好，又便秘。唉！說著說著，眼淚就掉了下來。小紅說，從一開始公婆就不看好他們，處處反對，在國內曾經多次對自己父母有不禮貌的舉動。小紅說時聲音都有點發抖。她接著說，他們家就是看不起我們家，眞正的僞君子，表面上道貌岸然，骨子裡全是如何對付別人，不來明的來暗的。小紅接著又替她的女兒求情說，爲了我可憐的小女兒的健康，您一定得替我做主，如何把他們那一家人都趕回去。

接著，先生小丁也單獨進來，訴說他的委屈。小丁先說以前兩家的恩怨和小紅父母的無理有關，他們不但常和其他人有是非，而且口出惡言，生氣時什麼髒話都說得出口——尤其是她母親。他現在想想，當時自己父母反對他們交往，的確有它的原因。自從結婚後，小紅就一直不願他的父母來美，而只肯讓她的父母來，所以小紅的爸媽已來過兩次了。這次來替女兒作月子，待得比較久，母女倆也吵得天翻地覆，所以小紅這才軟化，請他把他的父母趕快接來，這樣子他們倆才能工作。

好了，現在人來幫他們帶孩子，又幫他們煮飯。夫妻吵架，小紅見父母出來說情，居然打電話到警察局。兩個彪形大漢洋警察來敲門，一言不和，差點把他帶到局裡去，也把他父母嚇壞了。小丁說，他對太太的情與信就在那一刻都嚇走了。我說這樣的話，孩子不是很可憐，剛出生家中就遇到這樣的事？小丁嘆了一口氣說可不是，但冰凍三尺也非一日之寒。

◎夫妻互指不要臉

於是我請兩人和孩子一起進來。兩人都一臉嚴肅，可憐的孩子噤若寒蟬。小紅清了清清喉嚨說，這個家我和女兒實在都住不下去了。小丁很激動說，我父母也是妳要他們來，他們才敢來的；現在來了，妳又要趕他們走，問題是他們走了，誰要帶孩子？小紅不等小丁說完，就插嘴說你不趕他們走，就是不要這個婚姻了。小丁說難道妳要這個婚姻嗎，妳要的話，會去找警察到自己的家來？小紅說不要臉，你們把我們銀行的錢都轉移了，還說要這個婚姻？

小丁看著我說，她就是這樣，然後說不知道是誰不要臉，和朋友出去過夜才回來。我不得不打斷他們，你們究竟想不想維持這個婚姻？兩人都露出除非對方讓步、否則一切免談的死硬態度。

小紅此時突然冒出，還敢說要維繫這個婚姻，你才不要臉，在我還沒來時和誰要好過？同居過？此時的小丁臉色很不好看，立刻接著說都幾百年了，還提這幹什麼？小紅說，那爲什麼還和對方 e-mail？

此時的我立刻止住他們的爭吵，指出他們的婚姻問題早已嚴重地超過僅只婆媳問題而已。他們有更多其他的因素造成婚姻破裂，諸如兩家家人的不和、金錢的分配不公和婚外情第三者的介入，這其中任一因素都得慢慢解決才行。他們倆都點頭表示贊同，可是兩人就再也沒有來過診所了。

由以上兩個案例不難看出，程家克服了婆媳的困難，又找回家庭的幸福；丁家卻因婆媳衝突，再加上原本就有過節的結合，更無法重拾舊情，以致夫妻關係愈走愈遠。其實男女兩方能多替對方著想和尊重，才是最重要的感情基礎，不但如此，還得持續不斷的努力經營才能面對外在的改變（譬如程太太將婆婆帶來的孩子視爲己出）。

尤其夫妻一旦有子女，就有了非常偉大的責任。姑且不管父母分或合，在孩子的成長過程中，父或母都幾乎時時在孩子的身旁，絕對是孩子的第一位老師，也是最重要的學習榜樣。有了孩子的父母怎可不謹言愼行？因爲夫妻的關係，吵架的方式和面對壓力的表現都會絕對影響孩子的一生的言行。搞得不好還可能代代相傳，這是多麼多可怕又深遠的影響呀！

4 問題兒女？問題婚姻！

從許多家庭的問題中我們會發現，孩子所扮演的常常是代罪羔羊的角色。在父母婚姻有困難時，孩子就出些自己的問題來頂罪。

因爲經濟不景氣，報章上常常看到自殺的社會新聞。有些離婚或失婚的男女會作出非常可怕的事，他會想不開，衝動地帶著自己的寶貝（指子女）一起到陰間。有些甚至帶著武器，去自己寃家配偶處殺了一家大小再自殺，明顯地表示「即使我離開人間，也會帶走我的寶貝，你也別想擁有我的寶貝」。類似的報復，令對方過著終身無法彌補的遺憾。家庭的三角問題之嚴重莫過於此。

讓老師頭疼的孩子

其實家家都有著那三角關係，端看我們如何處理罷了。

一天，一家中國新移民要求帶他們的八歲獨子來診所。我多半都看十四歲以上的青少年，但是他們請求我務必看診，因爲孩子才來美國三年，每年只要一開學，老師通知家長的便條就不斷，都是要求他們將孩子換到特別的學校或是私立學校。說孩子不聽老師的話，和同學也很少互動，舉止很像過動兒，是讓每個老師都頭大的學生。先生更進一步提出，是不是他們夫妻互動也有問題。

於是我請他們一家三口一起進來。父母都是高科技人才，兩人在美國擁有一家公司，工廠在中國大陸。兩人一手牽著小孩兒，另一手都帶著大哥大。小男孩也搶著進來，連招呼都沒打，就自己玩起手邊的電動玩具。往後這一小時好不熱鬧，先生和太太都先後收到電話，有長途的，也有local的。他們最後只好將電話機關掉，由此也可見他們在家各自忙碌的情形。

先生說得一口京片子，他說自己大部分的時間都得在國內管理工廠的一切雜務，太太負責美國公司的聯絡。小孩從小就特別聰明，說話很早，也非常頑皮，一分鐘都停不下來，動個不停；但是心地善良，也很愛用頭腦。現在美國家裡請了保母，以前幾個年紀大的或體力差的中國人保母都自動辭職，現在暫時請一個由大陸來念書的男大學生，體力好，還可以應付這小傢伙。

他邊說，我邊注意小男孩已經放下手邊玩具，開始替我收起書架上的心理書籍。母親試著阻止他，嘴裡一直嘮叨，小孩顯然完全不當一回事，繼續做他愛做的事，做得還挺帶勁的。

我開始注意他，他顯然也注意到我在注意他，於是更加賣力的做。

先生又繼續談他的觀察。他說，孩子非常需要人特別注意，如果一家只對付他一個人，就挺乖的，但不知爲什麼，一到學校就不行了。母親見我在注意，有點不好意思的說，您看，我都有管他的，其實我管得挺嚴厲的。她接著說，因爲自小父母特別嚴肅，所以她感覺孩子的信心和能夠被愛挺重要的。於是我問她，他聽不聽你的指喚呢？她還沒答腔，先生就說，她呀，只會寵和慣。

我於是解釋給他們聽，有雙文化的家庭，子女初上學的幾年，學任何洋規矩原本就比較慢，加上你們的家庭又很類似單親家庭，父母都這麼忙碌，兩個人很可能管教的方法也不大同。母親明顯根本罩不住，不是她有管沒管，而是管的方法有沒有效果，譬如剛剛他在動我書時，雖然是好意，母親一再干預，顯然孩子完全聽不進去。

這個明顯的互動模式，在家中一定常常發生。如果他一再在學校被老師干預或管教時也如此表現，老師自然很頭大又很煩。父母兩人都同時點頭表示同意。

此時先生說話了：「奇怪的是，只要我們一起管，孩子就會聽話，立刻奏效。」我於是解釋，根據心理學統計，約有三分之一的孩子需要父母同心協力的管教，你們爲了他也該常在一起生活的。不大說話的太太突然對兒子笑著說，兒子你以後可不得不聽話了，因爲爸爸可是會管你的。

家庭的三角習題在此表露無遺。嚴父慈母或慈父嚴母都可以，但是如果雙方管教方法不一，或在孩子面前表達對自己配偶的不滿，都會造成孩子的不健康行爲和表現。一個人一生很多的行爲和看法，自己成長的家庭都有深遠的影響。我寫下這些案例，目的是想令更多的讀者學會自己看清自己成長的路，進一步瞭解自己，甚至也因此改善自己和家人的關係。

前文提到的這對父母臨走時答應我，一定花更多的時間經營自己的婚姻，兩人共同帶大這個寶貝。

其實，成長中的孩子受父母的管教方法影響至深。我們如對一個人瞭解很深，知道他過去的家庭運作和成長背景，通常就可以清楚的看出他們的喜惡，與人相處的方式，選擇什麼樣的婚姻對象，以及婚姻的互動和吵架方式，甚至爲什麼婚姻破裂。太多的事其實都不是偶發事件。

暴躁易怒的少年

第一次在診所看到約翰，是在去年夏天。那天，耀眼的德州陽光將整個辦公室照得通明舒暢。約翰，一個十七歲的男孩，挨著陽光走了進來，緊跟在後頭的，是約翰的媽媽王太太。

約翰長得很俊秀，衣著講究，態度也溫和有禮；不過卻有意的將椅子挪到大窗邊，背對著陽光，故意選在和母親有段距離的地方坐下。而王太太卻又有意無意地將椅子挪向約翰，頓時約翰眉間立刻皺了起來。

等他們都安心就坐後，王先生——約翰的爸爸——才走進來。王先生臉上架著一副黑邊深度近視眼鏡，老學究的臉和深沈的表情，眞和約翰有著天壤之別。但仔細端詳，父子倆的眉宇之間神色十分相似。

王先生首先雙手捧著一疊筆記，說：「這是約翰從小到大的重要事件資料報告，供您參考。」說完後才在太太身旁坐下。

約翰是家中的長子，下面有一個小他六歲的妹妹。王先生家世顯赫，是台灣的官宦世家。他本身是台灣留學生，在美讀書時認識了小他兩歲、從香港來的留學生王太太，不久，兩人結婚，搬到這裡工作，成家立業定居下來，胼手胝足的建立一個相當安穩舒適的家。

我心裡正納悶著，這樣的華人移民怎麼會到我診所來？

王先生看著太太，王太太清清喉嚨說：「問題是約翰。約翰從小聰明伶俐，功課很好也十分在意成績。但是個性敏銳又多愁善感。約翰，媽媽說的對吧！」

約翰面無表情地坐在那兒，好像完全沒聽到母親的言語，心思早已飄向別的地方去了。

王太太繼續說：「約翰到了高中以後，脾氣愈來愈暴躁，常常一點小事就勃然大怒。今年接二連三地出了幾件事情。

「年初，有一個週末很晚才回家，我和他爸爸很擔心，所以他一回來，我們就問他到哪裡去了？他話還沒說幾句，就握起拳頭在客廳的牆上打了一個洞，還對我們說，爲什麼總不信任他？上個月，去參加中國教會舉辦的暑期夏令營，約翰爲了小事又和夏令營的輔導哥哥吵起來，接著把教室的桌子也推倒了。夏令營方面覺得事態嚴重，立刻通知我們將約翰帶回家……。上星期又爲了他晚上不好好作功課，邊打電話邊作功課，我請他不要佔線太久，他又口出惡言，揮拳將客廳又打了兩個洞。天啊，我們家現在怎麼見人啊？」

接著我轉問王先生有什麼看法時，王先生一時措手不及，推了推眼鏡說：「撫育兒女是太太的主要責任。」說著又望著太太。

王太太緊接著說：「約翰在打牆出氣時，我們心裡害怕呀！再這樣下去怎麼得了，於是我就告訴先生叫警察來，沒想到美國警察一來就把兒子銬起來，約翰還想掙扎，警察就將他直接送進精神病院去了。住院住了幾天，精神科的醫師說他患有衝動控制失常（impulse control disorder），如不及時治療，會影響他一輩子的婚姻及未來的子女。精神醫師囑付我們一家一定得找一個心理醫師，所以我們才來這裡了。」

於是，我這才瞭解事情的大概。此時再觀察王家三人的表情，父親除了偶爾點頭之外，和兒子都面無表情。倒是王太太一把鼻涕又一把眼淚的，好像她才是痛苦的病人似的。

反覆演出的同一劇本

身爲家庭治療醫師，我深深瞭解家庭是愛與教育的培植工廠；但是如果經營不善，家庭也可以變成一切毛病——諸如傷害與煩惱——的製造工廠。偏偏每個家庭成員，都會情不自禁地按著自己角色的劇本扮演。於是一環扣一環，每個人都一再重複著過去的劇本模式和反應，反覆地演下去。

常常在家庭中扮演病人的，只因家庭成員互動時有「反應阻滯」才會表露出來。心理醫師一旦找出阻滯地帶在哪裡，如同中醫打通穴道一般，就可通暢無阻。

從許多家庭的問題中我們會發現，孩子扮演的常常是代罪羔羊的角色。在父母婚姻有困難時，孩子就自己出一些問題來頂罪。有時候，孩子可能天眞的以爲，自己是用聰明的點子來處理爸媽的婚姻問題呢！

爲了瞭解問題的眞相，我開始分別與約翰、王先生、王太太交談，試著進一步解開問題癥結。

約翰告訴我：「爸爸和媽媽感情很不好。媽媽常和我抱怨爸爸的不是。爸爸不能幹，不會表達，社交能力又差，所以這兩年工作也不順利，在家中也不肯參與，媽媽總得付出加倍的心力來持家，十分辛苦。我非常害怕聽媽媽的嘮叨，但是媽媽說中國人不能把家醜說給別人聽，所以我就和媽媽盡量保持距離。但是我對爸爸也很不滿意，他不會表達對我們的關愛，想也知道，這樣的人公司怎麼會喜歡他？我將來才不要跟他一樣呢！」

言談間，約翰逐漸信任我，於是我也開始慢慢解釋給他聽，怎樣才是眞正表達感受和有能力表達的人。所謂善於表達，是指可以將內心的感受用言語直接說出來，但有時也得用更客觀的心態和理性的分析，才能眞正瞭解自己。譬如我現在其實心中很悶，很不爽，我應該恰當地表達內心的感受，而不是用暴力的肢體語言表達，因爲這種行爲是不受任何社會肯定的。所以美國的警察才會帶他離開家，警察這樣做也是爲了保護大家的安全。約翰點頭說，自己太害怕因而極力抵抗，這才被送去精神病院，也是不會表達才引起的誤會。

逐漸地，約翰明白原來大家都是出自善意，只是表達出了問題。他也表示希望下次和父母有衝突時，大家都能更冷靜。

王先生也告訴我他的成長背景。他從小很少和父母在一起，父親是個很有權威的傳統嚴父，母親必須隨身服侍，也得常常跟著父親參加應酬。他只和家中的下人較親近。他從小就養成內向、不多話又被動的個性，因爲唯有如此，父親才不會責罵他。

到美國工作多年後，他才發現自己的社交技巧不夠好，EQ太低，以致常遭到不公平的待遇，不得上司重視，也影響陞遷，總覺事業不大如意。

王先生關心地問：「在約翰九歲時，公司曾派我去沙烏地阿拉伯工作了兩年，太太和孩子都留在美國。不知道會不會影響到約翰的身心發展？」言語間充滿對兒子的關懷與自責。

與王太太私下見面時，她說：「其實約翰的個性最像我，心地好又非常細膩，只可惜脾氣太壞。」

單獨問王太太的婚姻時，她突然淚如泉湧地說：「我先生內向又固執，很難相處，我只有把孩子當成是我的寄託。我所有的精力都放在兒女身上，要不是爲了兩人都疼惜孩子，婚姻老早完蛋了。」

傾心交談學溝通

此時王家的問題才完全顯露。的確，當婚姻不美滿時，很多失望的父親（或母親）就將自己的希望完全寄託在孩子身上，將家庭變成三角關係而不自知！

在約翰的心目中，母親偏袒他卻又管不住他，甚至有點怕他；父親不管事，他甚至以爲父親對他漠不關心。在這樣的家庭中成長，怎麼可能沒有問題呢？

王先生和王太太都沒能面對婚姻的問題，久而久之，父母管教孩子的態度完全沒配合。於是約翰也在不知不覺中，捲進父母不和的漩渦裡。

一旦找出癥結，首先該著手的是改善夫妻關係，協助他們正視自己內心的情結，同時找到兩人共有的人生目標和力量。先作好夫妻諮詢，告訴他們父母和諧的婚姻關係對於管教子女的重要性。天下所有的夫妻都不能避免衝突，美滿的夫妻是能面對衝突，而不是排斥、大吵大鬧、互相責備或躲避和冷戰，絕對不能強迫對方改變。所以，有胸襟能接受並看清不同個體的不同習性，才有解決問題的能力。

王先生不是不關懷家庭，只是不擅長表達而已。經過心理輔導和鼓勵，他逐漸有勇氣表達不滿和自己對家庭的歉疚。王太太一旦進一步增加對先生的瞭解，體會先生的意願，也更願意和先生傾心交談。兩人有了共識後，王太太自然減少對兒子的嘮叨。

著名的家庭治療大師維琴尼亞・薩提爾（Virginia Satir）曾說：「家庭中每個成員都想往好的方向走，只是想法與做法不同而已。」王先生和太太經過數次協談，逐漸學會更進一步的溝通。

父母一旦同心協力，管教孩子的態度就會漸趨一致，約翰的衝動控制失常也開始減少。父親經過治療，瞭解自己過去受家人冷落，現在就不會重蹈覆轍再冷落子女，以致代代相傳。王先生現在主動參與約翰的籃球比賽和辯論比賽，約翰的校外活動有了父親的參與，也愈做愈出色。父子相處時間增多，夫妻關係和諧，過去三角關係就自然而然的慢慢消失了。

約翰建立起對自己的信心，找到自己的專長，也更能掌握人生方向。當約翰收到美國著名的大學錄取通知時，看到他們一家和樂融融又幸福美滿的模樣，真覺得是王家一家人共同的成就。

所以，如果孩子在成長時，即使是在單親家庭都沒關係，如果照顧他的單親父母對於對方沒有怨懟，孩子反倒受害較少。如果雙親俱足，但是父母長期對立衝突，或常當著孩子的面抱怨，甚至有意地揭發對方的短處，或帶著半大不小的孩子去捉姦，或暴力相向，都會造成孩子一生對父母及對婚姻看法的偏差，有些甚至不敢結婚，或自己也會走上失婚之路，這是多麼殘忍又可惜的事。

第 2 篇

出軌的婚姻列車

1 致命的吸引力

選擇終身伴侶時，先得尋找自己的心靈良伴。兩個人能夠成爲志同道合的好朋友，是最好的開始；如沒有，也得學著培養共同嗜好、共同話題，成爲推心置腹的知己。

在上班的地方偷偷仰慕上司之類的人，實在是極平常的事。因爲有權有勢的異性，是閃亮的明星，十分性感而吸引人，以致師生情、上司與下屬的戀情，甚至成人猥褻少年等事件時有所聞。

一九九〇年代最有名的緋聞，莫過於柯林頓總統（Bill Clinton）和莫尼卡（Monica Luwinsky）事件了。一個從來就仰慕總統盛名的年輕女子，想盡辦法接近自己崇拜的偶像。事後，莫尼卡還說，柯林頓具有致命吸引力的性感（天知道是誰能致命？）很難抗拒。

女追男——尤其是少女追老男——男眞的很難脫手，更難說NO。

都是權勢惹的禍？

有一對夫婦郎才女貌，各有所長，都在醫藥界表現出色。先生是大學醫學院教授，後來和下屬有了婚外情，對方是來自大陸的科技人才，年輕又美貌，和莫尼卡一般主動投懷送抱。先生開始時還向太太自首、懺悔；但是天天見面，日久生情，可談的愈多，自己和對方比跟家人還親密，到後來終於陷下去，不可自拔。已經長大成人的兒女特地趕回家規勸父親，也不生效果。

離了婚之後，夫婦兩人從此深居簡出，很少和老朋友見面。男方很快和外遇對象結婚，但對方有了永久居留身分不久，就要求分手。男醫師在傷心之餘離開本地，據說在某地鄉下工作。其實這位大陸小姐和莫尼卡一樣，都認爲對方地位高，自己地位因而也可提高，更何況有權勢的異性是性感難拒的。

愛情一旦牽涉到對方有家室，就屬於婚外情。剛開始時，感覺初嘗禁果似的充滿新鮮和興奮，我在診所看到最興奮的時刻，就是剛剛開始萌芽時，那時眞是誰的話都聽不進去，總認爲自己這次的戀愛與任何一次都不同。難怪教科書上說，因婚外情而失婚的夫妻，唯有在發生事前和事後才能作心理治療，否則事倍功半。當事人若仍然生活在夢幻追求之中，治療很難收到效果。

咪咪就是這樣的案例。咪咪是個十分能幹的女強人，先生是研究所前後期同學，是個傳統的中國讀書人，處處幫她、教她。等研究所念完，兩人結婚，就在不同的公司上班，先後育有一子一女。咪咪事業上一帆風順，步步高陞；反倒是咪咪的先生相對地被咪咪比下去，雖然也是一個小部門主管，但他個人的企圖心不高，喜歡每天按時回家，陪兒女打球、念書，玩電腦更有勁。

反之，咪咪天天接觸的都是企業的大老闆，加上常出差到外地開會，和公司的一位頂頭上司想法尤其相近。史提夫和咪咪工作特別相配，兩人合作無間，史提夫更是感到一天都不能沒有她。久而久之，這種依賴變成兩人濃濃的感情。

咪咪第一次來我辦公室時，身穿香奈兒（Chanel）高級套裝。進來時，一點也沒有露出身心痛苦，反倒令我覺得她是要與我分享內心最深處的秘密，和她的喜悅與興奮。她說最近一次和史提夫一起去巴黎開會，兩人都知道彼此對對方有好感，但也都知道是已婚的人。所以兩人手攜手地在巴黎香榭大道，沿著美麗的街燈，有時停下喝杯咖啡，看著一對對的戀人，整整地走了一夜。她告訴我這一夜她一生都會記得，相信史提夫也一樣，雖然他們什麼也沒做。她並說自小就喜歡看浪漫愛情小說，沒想到自己的經歷勝過任何小說。

咪咪說，她來看我，是要告訴我她和先生之間早已成了沒有愛情的婚姻。先生來自過分保護的家庭，人很老實，不求上進，不會和太太作心靈溝通，也很不會做家事。咪咪工作又忙，只好家裡請了女管家。她說現在回家最喜歡做的事就是，每天晚上藉著講故事時和小女兒躺在一起，而不必和先生同床。她也和史提夫約好給彼此一年的時間，將彼此的婚姻結束，那時，史提夫將再換一家公司，兩人就可以公開地在一起，重組家庭。

老婆不是附屬品

當一個人被愛情沖昏頭，而且兩人已有這麼周全的計畫時，心理治療已經不再能改變什麼，我能做的是問她如何照顧孩子，她還準備給孩子同樣的教育環境嗎？此時，她才第一次露出對孩子的歉疚感。後來的幾次諮詢，幾乎全是在計畫如何將子女的傷害降到最低。現在回想，咪咪的先生唯一做錯的，就是明明知道家中少不了太太這份薪水，卻常忽略她的自主性，總不能在家庭分工上和她配合，也不贊成她和工作有關的社交應酬。這種消極抵抗，益發造成她對先生的反感。

如果結婚之後，家事可以依夫妻適合的性質分工合作，不要事事總以老婆爲自己的附屬，在家中還肯做些配角工作，但到了外面或回婆家時，就非要老婆裝也得裝出很賢慧的樣子。久而久之，咪咪因爲外面的工作愈來愈忙，體力有限，覺得先生明明就需要她獨立又傑出的這份薪水，但又要她處處表現得像個溫柔又賢淑的小媳婦，愈想愈不能忍受。

在不同的環境下有不同的標準，遇到從小受洋教育的史提夫，不但有權有勢，又有先生所沒有的長處，咪咪才會產生如此劇烈的寧靜革命。咪咪一旦將子女的一切安排妥當之後，就再也不見踪影了。

多年以後，只聽說她離了婚，又結了婚。一直到有一次在一間高級歐洲餐館碰到她全家。平常我都是看病患的反應爲主，對方如打招呼，我才有所反應。咪咪主動地和我打招呼，她似乎豐腴不少，穿著也不如過去講究，只穿了一件普通的輕便服。一家人除了她和男主人，好像帶了四個孩子。不久我走進洗手間，她也隨著跟進。她輕聲地告訴我近況。

外面的男主人是史提夫，他們已結婚。史提夫和她如約地與配偶分居，但是史提夫的太太在一次意外中突然去世，所以他們現在家裡擁有兩家的孩子，現在都先後到青少年的年紀，常出狀況，他們得多花心思在孩子身上。看樣子，兩人離那巴黎之行已十分遙遠。

一個又一個的如果

離開餐館之後，我想到好多的 what if。如果咪咪一開始發現不滿意自己的先生，就去找心理專家，或是要求先生也共同諮詢，學會如何溝通，事情會不會演變到今天的地步？

如果史提夫的太太先意外去世，他們會決定結婚嗎？咪咪會還選擇這條除了照顧自己的孩子，還要照顧別人的孩子，這樣難走的路嗎？如果史提夫曉得太太會意外死亡，他會要求離婚嗎？因爲從一開始和咪咪有了戀情，就可看出史提夫的遠謀深慮，他心中會不會對無辜的前妻深感內疚呢？如果兩家仍然如過去一般的安定家庭，孩子會個個都出狀況嗎？咪咪如果重來一次，頭一次婚姻平淡無味，這次的又壓力重重，她仍會選擇嫁給有權勢的史提夫嗎？

美國的離婚率自從一九七〇年代直線上升，到八〇年中就開始逐年下降；這幾年美國人更是一年年的晚婚、不婚，或要結婚的男女更謹愼選擇，更明瞭結婚持續的重要，也願意更加努力維護現有的婚姻。離婚率雖然仍是世界冠軍（之所以爲冠軍，是離過婚的人結又離三、四次以上），但後來居上的國家也愈來愈有增加的可能，因爲戰後嬰兒潮（Baby Boomer）的一代也已開始成熟。

北加州一位心理學家茱迪絲・華倫斯坦（Judith Wallerstein）教授，花了十年追踪六十對離婚的中產階級夫妻，發現只有六對夫妻認爲分開後他們的生活品質有改善。所有的心理研究報告也證實，父母婚姻不好或有過離婚（或多次婚姻）的子女，也不容易有幸福的婚姻，他們一般對婚姻缺乏安全感，容易憂鬱，也較容易走上離異之途。由於這些報告，使得美國夫妻態度較前更爲保守，也已是不爭的事實。

正因爲婚姻不是持續不變的關係，夫妻之間不可避免的會有衝突，如何在最早期的婚姻時段學會解決問題和面對衝突，是非常重要的。就算不論外在環境的變化，婚姻本身就得經過不斷地改變，譬如婚姻初期是彼此瞭解期，中期是如何平衡家庭和事業期，接著孩子大了，又得培養適應空巢期。

做彼此最好的朋友

婚外情往往開始時行爲並沒出軌，甚至完全沒有性事，而只是在不知不覺中，和對方由心靈溝通到談情說愛；有了激情，才開始有許多越軌的舉動。當人在失望、無助、灰心、空虛時，都是抵抗力很差的時候，因爲世上絕對無完人，人人都有脆弱的時候。

許多公司老闆與雇員，學校裡的師生，成年人與青少年，甚至電影、小說中類似貧女與王子的戀愛，往往圓滿的結果在現實是比較困難的。因爲他們是受權力或地位或金錢所吸引而結合，而忽視了夫妻一定要成爲彼此需要又談得來的好朋友的重要性。

所以選擇終身伴侶時，先得尋找自己的心靈良伴。兩個人能夠成爲志同道合的好朋友，是最好的開始；如果沒有，也得學著培養共同嗜好、共同話題，成爲推心置腹的知己。兩人如權勢地位相距太大，比較難成爲眞正的知己（當然也有成長爲知己的）。兩人能夠共同走過起伏和風暴，也絕對能受到家人和社會更多的尊敬。久而久之，夫妻之間有足夠的信任，外面儘管多誘人，也難以代替自己心靈良伴的位置。當對方情緒低落時，心靈良伴立刻就能覺察和適時幫助。

經過歲月的考驗，夫妻仍然成爲最好的朋友或靈魂的伴侶，實在是維護理想婚姻的根本之道。

2 你有過一段情嗎？想要一段情嗎？

婚外情能造成婚姻最大的傷痕，即使夫妻表面上仍然可以在一起生活，但是內心最深處的親密與信任都將受到極大的破壞。這是一條人生的不歸路。

台灣當紅的綜藝主持人吳宗憲，鬧出可能同時有三個女人有他的孩子的緋聞事件。他只肯承認張女士和他的關係，至於其他的就吞吞吐吐。有權勢又有錢的男人眞是這麼吸引人嗎?的確，power is sexy，居然這件醜聞並沒影響他的綜藝節目收視率。政治人物也不斷有人傳出外面有一段情。台灣的社會新聞往往和八卦新聞連在一起，百姓也早已見怪不怪，婚外情太常見，公衆人物也樂得上報，反正愈炒愈紅。

本章標題點出的兩個問題，不知讀者有沒有用心想過。我們不想這兩個問題，並不代表就不會發生。現代男女在婚姻之中，一旦沒了親密，少了自制，產生婚外情、和外來的第三者發生感情，將是婚姻面對的最大挑戰。

最近美國有一位心理醫師丹尼爾・林德（Daniel Linder），在他出版的新書《面對慾望時如何負責》（*Acting responsibility in the face of desire*）中，誠實的敘述他幾乎已走進婚外情的一段，十分可信和易讀。我將它簡短地翻譯如下。

一段最坦白的告白

我是一個快樂的結婚族，已婚七年，有一個很滿意的老婆和兩個小孩。我認真地信守結婚誓約，從未逾矩。我是一個專業的心理醫師，特長是維護男女親密關係，但是我也曾經危險地幾乎陷入一段婚外情。事情是這樣的……

◎冰淇淋店的老友

有那麼一個鬱卒的早上，一大堆煩人的事等著我處理。我一起床就感到心悶，懶得面對。在上班的路上，心中感到好孤單、好煩人。於是腦中就不斷想著該如何找什麼東西輕鬆一下，讓自己可以高興起來。到了診所，又碰到下午一對夫妻病患臨時有事不能來，多空出一個小時。於是我就告訴自己何不趁此機會出去走走，透口新鮮空氣，然後去郵局，順道去吃客冰淇淋。

在走向郵局的路上，我自然地停駐在平常最喜歡的冰淇淋店門前。裡面的工作人員蘇珊是我的朋友，她是一個樂觀又善解人意的女人，偶而走過這家店，我總會停下來和她聊個幾分鐘，她總是快樂又懂事的和我聊著。逐漸的，我們就成為很能談天的好朋友。我們開始總先談店裡新來的冰淇淋，她知道我特別嗜愛巧克力，總會先介紹巧克力的新配方給我。我可以先試吃各種新的巧克力冰淇淋，比較各種的口味，也漸漸地談到我們喜歡的電影、我們的家人。以她的個性和美貌，早已有一個男朋友，但是據她說最近雙方都開始冷卻下來，較少見面。

我們在一起的時間，總是十分自然又愉快。最近幾次見面，我們會很自然的拍拍彼此肩膀，彼此鼓勵和加油；但是除此之外，言談中間仍是純友誼。現在回想，我不知道我們是否有細想過，我們其實都對彼此有著好感，也都知道對方對自己印象不壞。

◎意外的擁抱

這一天，我一進去，蘇珊就熱情的迎上來。因為她來得太快，我們幾乎就像擁抱似的。她的年輕臉頰立刻紅了起來。我們仍然如平常一般談冰淇淋，吃冰淇淋；但是剛剛那個短短的交接，的確令我起了不同於過去的性衝動。我內心也的確嚇一跳，自己對對方竟然有這麼大的吸引力，這是我始料不及的。

於是我開始作自我分析，從我對她的性遐想看來，我那天去冰淇淋店其實並不是偶發事件。我是想尋找一個可以令我興奮的東西，這個東西包括有熱情又溫暖的肯定或擁抱，可以將心中的鬱悶一掃而空。蘇珊剛好就在那兒。當我們幾乎擁抱時，我立刻有了性衝動。於是我理智地立刻離開，走向郵局，在路途上，我的腦海開始不斷地浮現對蘇珊的性遐想。

離開郵局，我就走回診所。沒想到，蘇珊此時突然出現——她居然跑著過街朝我走來。此時我的第一個想法就是怎麼這麼棒！她可以來我的診所，如果我要求，她會來嗎？她此時過來，難道是專程找我來的？我們有沒有足夠的單獨相處時間，我站著等她來的幾分鐘之中，腦中的幻想如萬馬奔騰。

想著如何啓齒，我說：「妳怎麼這麼快就到了我的辦公室？」顯然，她並沒聽清楚我的問題。她說：「你要我去你辦公室嗎？」於是我們倆就進了我的個人辦公室。牆上的鐘指著五點十分，我下一個病人五點三十分才會來。在二十分鐘內，我們仍然可以做個愛的。我們倆幾乎緊張得都說不出話來。她好像說很喜歡我的辦公室室內設計，看我仍然沒說什麼，她說她該回去冰淇淋店了。我心中不知是失望或是解脱，我猶疑了一下才說，妳是該趕快回店。在她往回走的那一剎那，我卻又希望她突然改變說「你是要我的」、「你可以擁有我的」。天啊，那我真是不知會有什麼樣的反應。

◎想想又有何不可？

當我那時問自己「你真的想要一個婚外情？」時，心跳不禁加快。良心責備我不該說我想要，一個幸福的結婚男人應該信守誓約，更何況自己是引領他人如何維護婚姻的專家。但是心中另一個聲音卻又振振有詞的告訴自己，偶而的逢場作戲是無害的，何況我只是想想又有何不可？

所以，我的確想要有婚外情，我無法想像世上還有比這個更令我興奮的事了。但這也只是因時而異。當我在情緒低潮時，這種慾念就會自然升起；當我在工作和人際關係都感到滿意時，內心充滿知足和被肯定的感覺，就完全不受這種誘惑的影響。

想想，如果剛剛我和蘇珊有了關係，這只是人生的一段小插曲，沒有情感負擔，也沒有任何衝突和矛盾。她不會要求我什麼，我也不會要求她什麼。我們做的事真是神不知鬼不覺。她又知道怎麼和我溝通，她就像有特異功能似的懂得我。即使將來分開，我們有的只是美好的回憶，沒有罪惡感和責任。真是再也找不到像她這樣的理想情人了。

真有這麼理想的情人嗎?也許。如果和她做愛的第一次真是這麼棒,可以一直繼續下去,仍會這樣理想嗎?非常令人懷疑,因為事實不是幻想。現實的生活雖然和幻想有關,卻是兩碼子事。在日常生活中,我們每個人都有幻想,現實的人生卻絕不是十全十美,所以美夢成真前,我們必須先考慮會發生的後果。

當蘇珊成為真實的情人時,她也必有真實的需要。如果我和她有了更親密的關係,就像任何一個關係一般,有起有伏也有高低,也會有壓力。我會幻想和她做愛,原本是想逃避現實的痛苦和壓力;我並不希望她成為現實,再增加我任何壓力。所以也唯有她是幻想中的,才是理想情人。

幸好剛剛也只是想像而已。如果真的做了,當興奮高潮過後,我就不得不面對下一步:如何收場,如何繼續下去,還是當場結束。

◎差點走上不歸路

總之,我很慶幸剛剛只是幻想而已。幻想不必付出代價,也不必冒險。如果我剛剛完全不顧後果地和蘇珊真的有了性關係,我會很容易就陷下去。從此我和她的關係就變了質,由單純友人變成情人,也將成為我人生的不歸路,再也回不去過去平靜、踏實的家庭生活。

我和原有的家庭——包括太太的關係——也不得不全然改變了。我只有兩個選擇：欺騙她，或向她自首。表面上，欺騙或隱藏是最容易的路；但是實際上要負很嚴重的後果。特別是有了一次，很難沒有二次和三次的露水姻緣。對太太自首，也會造成巨大的關係改變，更別提以後對孩子的傷害了。

所以不管我有多幸福的婚姻，多完美的生活，一旦有外遇，我就如同走鋼索的人，雖然興奮，卻得時時戰戰兢兢。不然，我就是自欺欺人。我不得不承認，有很短暫的時刻也曾經懊惱和她做愛將是件多麼美好的事；但是過了一段時間，我就更慶幸沒有和她真的做愛。因為我不必欺瞞和隱藏，也沒有任何罪惡感。我同時對自己有更深的信心和把握，它令我更能面對生活方面的壓力，也更能勇敢地面對人生。

婚姻最大的一道傷痕

這個心理醫師的道白說得一點沒錯。因爲「凡走過的必留下痕跡」。有過婚外情，絕對會在婚姻上留下痕跡。我很少能看到一個已婚男人可以這麼坦白又露骨地叙述自己心理的掙扎與感受。的確，婚外情能造成婚姻最大的傷痕，即使夫妻表面上仍然可以在一起生活，但是內心最深處的親密與信任都將受到極大的破壞。難怪這位心理醫師說這是一條人生的不歸路，因爲很難再回頭了。

現在愈來愈多的職業女性和男性共同工作，造成男女單獨相處的機會大增，也更容易有婚外情的產生。美國有許多婚外情的統計，男人雖然仍較女人更易有婚外情，但是差距愈來愈小。尤其是年輕的夫妻，年輕的妻子（廿二～卅三歲）較先生更容易有外遇。超過七五％的受訪者認爲，婚外情是不道德又有害婚姻的。婚外情的發現，也仍然都是由私人偵探、一些出軌的蛛絲馬跡、朋友的告知等等。背叛的一方往往惡人先告狀，先責備配偶的不對，自己只是脆弱而已。配偶一旦發現都非常生氣，尤其是懷恨和自己配偶有外遇的對方；甚至想幹掉對方，或想自己也搞個外遇，或拿了錢遠離對方。

一般心理醫師都會勸導受害者先冷靜下來，再作任何決定。因爲儘管被最至親的人身心都背叛非常痛苦，但是辦理離婚也是非常痛苦的。男女雙方都需要靠時間和彼此的努力，才能眞正的療傷、康復。

一波得過三折

發生婚外情，可能是婚姻中必須面對的最大波折。一般得經過三個階段才能眞正和好如初。我簡短的敘述如下：

◎眞正面對自己的感情

一旦外遇曝光，夫妻兩方都被內心感受所震撼。受害一方的感覺，是有如碰到至親家人的喪事一般的椎心之痛，而且心中充滿怨恨。不貞的一方則是方寸大亂，腦海中充滿該作何選擇或該如何圓謊而擺平雙方的想法。

◎作分手或破鏡重圓的決定

在心中千頭萬緒後慢慢趨向冷靜時，也該好好分析一下自己該去或該留。因爲一旦事發，就不可能保持現狀。得問問自己現有的環境和需求。此時去看心理專業醫師時會受益良多，能更進一步瞭解自己到底的感受和需要。

◎重建夫妻的關係

這是需要經年累月的努力，兩方才能重新建立信任和親密感。下面幾個步驟供讀者參考：

1. 開始雙方都能分析這段婚外情，並能接受彼此的責任。
2. 眞正地和過去的戀人道別，包括身心。
3. 出軌的一方能眞正贏回尊敬，受傷的一方能表達要如何才信得過對方。
4. 雙方都能將自己內心最大的痛苦表達出來，也鼓勵對方表達自己的脆弱，甚至遠溯至自己過去的痛苦經驗。
5. 即使在不愛或不被愛的狀態下，仍能經營雙方的不同和不滿情緒。
6. 重新恢復過去的夫妻生活而眞正的原諒對方。

每個人都受害

吳宗憲事件表面上是風平浪靜了，其實受害者很多。他的孩子將是最大的受害者，他們都不能在公開場合認他這個父親。而且父親同時有多個女人，將來長大成人後，對異性的信任、結婚的選擇和對家庭的看法，都不容易有正面的態度。《離婚無法期待的遺贈》（*The Unexpected Legacy of Divorce- A 25 Years Landmark Study*）一書的作者，心理學教授茱迪絲·華勒斯坦就發現，在不幸福的家庭成長的子女，即使在二十五年之後，仍然感受到過去家庭的痛苦。除了以上這些對婚姻失去信心的壞處之外，他們也較易得憂鬱症。

即使安然成功的長大成人，過去父母的不和，也會成爲改變他們一生的重要因素。

吳的事件表面上看來他是贏家：他會更有名，更有錢，更有女人緣和一段情；其實遲早他也是受害者，只是時間而已。因爲他很難找到一個知心伴侶，一個平等又能互補的親密男女關係。他也沒法像一般父親可以和子女可以天天無話不談。他天天忙碌奔波，就是賺到了全世界，只能用金錢給家人享受，子女將來更可能有金錢紛爭。一生勞碌尋覓，卻不能擁有正常、美滿的家人和親子關係，人生又有什麼意思呢？

受害的女方實在不願再受屈辱，或眞被拋棄，也依然可以走出陰霾，重新擁有自己的天空。其實這樣做也是最好的身教，告訴自己的子女如何爭取自己的權益。

3 網路外遇

不論是不是經由網路，婚外情都是婚姻遇到危機。但這絕不是人生的盡頭，它甚至可能是另一個轉機、是另一件好事的開始。

世界各地的情色社會新聞，因爲網路的盛行，也變得愈來愈多彩多姿。有一個案例是，台北市三民國中理化許老師向來是一個老實、已婚的新好男人，安靜又木訥，居然上網從事援助交際（指由網路而和陌生異性進行性行爲）。他以自己妹妹的名義上色情網站多次，並且用詞曖昧去尋找對方，令所有認識他的學校師生都吃驚不已。因爲證據確鑿，校方決定記他一大過，他卻自己主動辭職。

美國這邊這種緋色新聞也是從來不斷。一名家庭主婦每天沈迷在電腦網路十二小時，三名幼子不管不理。另一位已婚家庭婦女漫遊網路，迷戀上網友，居然選擇離開自己一手打造的家，毫不留戀，她以爲自己初識的網友才是未來人生的最後依歸。

從此，男女的外遇有了另類接觸的管道，網路症候群不啻是另一種外遇的引誘或被引誘的對象。

只愛網友不要家

第一次見到露西時，她的漂亮金髮看來已好久沒有梳理，就這麼垂在雙耳後，臉上連口紅都沒擦。她說自己最近心情太壞，什麼都懶得做。她是小學老師，每天上課都心不在焉，同事看不下去，於是鼓勵她找人談談。先生是電腦程式設計師，原也是她大學時代的甜心。結婚十多年來，已有兩個兒女，家庭生活一向風平浪靜。

一直到近半年，先生的脾氣改變，態度煩躁又冷漠。下班後常耗在公司，回家的時間也較以往不規律，經常很晚才回來。回到家後也不如往常喜歡陪子女玩電玩，更不願陪兒子打球或和家人聊天，總推說公司工作壓力大，先去打一個盹再說。反倒是夜深人靜時，自己一人常神秘兮兮的打電腦。

露西初時也不以爲意，卻漸漸發現先生對她態度變得生疏，有時更會莫名無故地找她碴。譬如說過去總是說自己太太持家很有品味也很會穿衣服，現在卻反常地說太太穿著老氣又寒酸，家事也諸多挑剔。有時爲了一點小事就罵兒女，令一家大小都如驚弓之鳥。因爲不知先生何時會發飆，家庭中的氣氛變得十分低迷。

露西於是聽從同事的建議，前幾天要求先生和她一同去看心理醫師做婚姻諮詢。因爲露西認爲兩人婚姻發生問題，先生卻一口回拒說沒有必要，並說兩人都沒心理問題，只是婚姻其實早已沒了愛情。他並說自己已和律師談過，說著說著就把離婚文件拿出。露西嚇一大跳，放聲大哭。先生清清喉嚨，說他已愛上一位網友，很想和對方有進一步的發展，如果現在不分手，他對兩方都不公平。沒想到先生說完就進去臥室，不久就拿了一個已收拾好的衣服的行李箱子走出來，邊走邊說，他今晚就搬出去。說的同時也拿出自己律師的名片，告訴她以後律師會直接和露西聯絡，至於孩子的教養費，他也會盡量負責。他並對露西說妳也該替自己找個律師爭取妳的權益。說完就掉頭而去，再也沒有回過家。

露西講到這裡又開始忍不住地飲泣起來。我連忙將她身旁的面紙箱交給她，讓她哭個夠。露西的確令人同情，先生的外遇是何方神聖都沒搞清楚，就莫名其妙地被三振出局了。首先，我教她如何做好心理建設，幫她走出離婚的陰霾，這樣她的兒女才可能有一個健康的母親。自私的父親出走，當然會對她們一家人造成嚴重的衝擊，因此更需要一位堅強的媽媽。

其實網路愛情早已成爲二十一世紀的另類愛情和陷阱，而且正逐漸擴大和蔓延，實在不可忽視。沈迷網路的人根本很少就醫，但他們在「電子社區」中已呈現上癮而不能自拔的現象。說他們上癮，是因爲他們也同時表現出如賭徒似地神經質、強迫、躁鬱等特質。一旦透過網路交到朋友，人際關係有時也跟著改變：有些變得會出奇的興奮或外向些，但大部分性格變得更孤僻、更怪誕；甚至會以不同角色和面目或名字與網友接觸。雖然可以在短時間內得到幻想方面的刺激或滿足，但是長久下來會產生自我認知混淆的後遺症，和對對方產生莫須有的幻象。往往結果是來得快，去得也快，很少這些網路一夜情是喜劇收場的。

這種人具有一些人格方面的特點：他們一般個性原本十分內向，在日常生活中很難結交到朋友；本身在心理上就有某種程度的失衡；本身就有與人親密的困難，於是就將網路當成他們唯一的社交管道。他們可以在自己家或任何地方上網，既新鮮，又方便，更有主控性，要說什麼就說什麼，說完也不必負責。

網戀沒有拘束力，沒有國界也沒有底限，這就難怪有那麼多男女會在網路上談情說愛了。已婚的或未成年的男女都放大膽子在做以往不敢做、不敢說的，因爲他們深知家人很不容易發覺。初時，這種柏拉圖式的愛情對話是摸不到、碰不到也看不到的。但在性愛方面的言語或圖片卻是非常坦白的，挑逗性遠勝過傳統式的男女追求。於是遲早兩人見面就會立刻爆出火花，危險性百分百。

這就難怪二○○一年台灣行政院衛生署的網路性調查那麼危言聳聽了：四成的網友性伴侶居然曾有過十多位，大多數的網路異性朋友，在頭次見面的二十四小時之內會有性行爲，而且大部分都沒有作任何性安全的措施。這種由網路上聊得投機而茁生愛苗火花，見面火急上床，已經在大陸、香港、台灣和北美到處充斥風行。眞是險象叢生，不可不愼啊。

這完全不符合男女自由戀愛的原則。青年男女結交異性朋友原本經驗不夠，又識人不明，加上正值成長期的青澀，判斷力差，又有身體中的荷爾蒙作怪，根本還沒有時間眞的眼對眼、臉對臉地彼此生出感情，就已做了那種親密事，走入別人預設的陷阱裡。好多父母還以爲孩子只是在玩電腦而已，沒想到知道時孩子早已身陷其中而不能自拔。

一個女大學生的初戀

佩佩就是因爲這樣來掛診的。大學上了三年，換了兩所，功課從中學的優秀成績降到及格邊緣，大學從過去的名校換成現在的不入流的職業二年制專科學校，科系由原來擅長的電腦系換成不知道要念什麼系。父母自然對她的表現失常痛心之至。過耶誕節，難得一家團圓，父母親焦急心切地和難得回家的佩佩兄姊長談，兩人都對父母說該勸佩佩去看心理醫師。兄姊只透露說妹妹單純，又特別老實，一天到晚就在網上，偏偏人心難測，網戀發展成良緣的機會實在很小，倒是變成畸戀的機會居多。

佩佩的父母焦急的追問佩佩，偏偏她就是邊哭邊搖頭，說也說不清楚。父母體會事態嚴重，生怕眞的釀成悲劇，急著催姊姊趕快帶她來看我。佩佩是個害羞又極端內向的孩子，說話細氣又小聲，初時我常常得特意坐近才能聽到她的講話內容。她倒是十分合作地說個不停，就好似等了好久才有這傾訴的機會，一下子就過了一小時，她好似還沒說到一半，只好請她下次再來掛兩小時的診療時間。

◎渾渾噩噩的一場戀愛

連看了兩次，我這才把她的網路戀情弄清楚。早在佩佩高三時，她看著周遭親近的女同學都先後有了異性朋友，加上自己的大學申請出奇地順利，於是佩佩也開始有更多閒情在網路上物色朋友。她那時只是想找個可以談天的朋友，並非想找愛人，所以同時試交了幾個自稱異性的朋友。有的實在太怪異，有的較談不來，最後和一位住在離未來大學兩個小時車程、自稱在電腦公司工作的程式設計師成爲網友。

對方自稱過去交過異性女友，是二十六歲的成熟男人。沒想到兩人談得十分投機，所以當她到大學參加新生訓練，也就是和爸媽分開的第二天，這位名叫約翰的男士就開車去看她，並帶她出外吃晚飯。當晚佩佩就沒回去宿舍，和約翰在旅館有了性行爲。這也是佩佩的初夜，她就這樣渾渾噩噩地走進一個非常不健康的男女關係。

每個星期週末，還是大學新鮮人的佩佩總會和約翰在旅館見面。久而久之，她開始知道約翰其實年紀已過三十五（究竟幾歲佩佩也說不清），高中畢業後在電腦公司工作，後來也修過一些軟體的短期課程，從來沒念過大學。她也發現，約翰漸漸不願花多餘的錢約她到旅館，而是要她在週末自己開車去見他，地點在約翰過世父親的小房子。不久，約翰就告訴她，其實他早在二十歲就結婚了，孩子都已經高中畢業，搬出家門了。他和太太感情並不好，也沒性生活。所以他找到佩佩時，就哄騙她說他認爲他們兩人幾乎可以說是絕配（perfect match），因爲他知道佩佩不只和他心靈和肉體都相配，而且也不會急著要結婚。

於是佩佩大一時每到週五，都得開兩小時的車去會他，週日才回校。功課做得差，校內也幾乎沒機會結交到朋友。第一學年的總成績全不及格，佩佩就乾脆自己做主，轉到靠近約翰的小學校就讀。這樣一來，更是每週末都只有和約翰一個人生活了。久而久之，佩佩以為她和其他同學來自不同的世界，所以這些年根本沒什麼朋友。

約翰對她還算好，很少吵架，除了做愛之外，就是請她吃飯，或是自己做些粗菜。我問她出去哪兒吃飯，是不是燭光晚餐。佩佩露出吃驚的臉色說才不是呢，都是去速食店吃。接著說約翰就是愛吃這些速食，又不運動，早已有一個脾酒肚。佩佩的態度就像說自己的先生似的。

此時的佩佩說著說著，突然哭了出來。原來有天在他們的週末小窩，約翰在外面烤肉，佩佩就像個小妻子似的，幫他清理著過去他父母的小房子和他的電腦桌。那天也是活該有事，她竟意外地看到一大堆約翰女網友的玉照。我說是約翰的家人還是……？佩佩邊哭邊搖頭，說他家人的照片她都看過了。這些女孩子，有的比她年紀還小，有的還是裸照，說著說著又哭了起來。

◎道德與法律的死角

佩佩接著說，自己從小跟著父母上教堂，大概是作人家的第三者就不對，所以也得到應有的處罰。於是她拿著證據去問約翰，約翰也大方的承認，並說願意以後約束自己的行爲，但是佩佩也得改正自己揭人隱私的行爲。佩佩回到學校，愈想愈難過，於是打電話向已在念研究所的姊姊哭訴。姊姊一聽，才知道妹妹沈迷在網戀，這樣子下去，可能會有悲劇上演，才和已做事的哥哥商量，一定得在回家的假期向父母坦白，想不到父母已經知道了。初時父母只想將那個無人性的中年男子訴諸於法，兄姊告訴父母說佩佩早已經是成年人，對方就不會有誘拐的罪名。

所以說，不正常的網路戀情實在是道德和法律的死角。

佩佩的問題其實不是短期可以解決的。因爲問題存在了近三年，這個中年男子將她孤立了這麼久，他已徹底地改變了佩佩正常的大學生活。尤其開始是佩佩年輕，單純又情竇初開，還以爲自己是在談戀愛。所以我能做的是先和佩佩建立起親密的關係，同時令佩佩知道這種男人一定會屢次再犯。佩佩一旦發現約翰實在是匹色狼，眞的對她沒有誠心，才會眞的主動提出分手，走出陰霾，也開始認眞地重拾課本。

沒想到等佩佩再回到學校不久，約翰卻已喜新厭舊，主動提出分手。並說 real life comes first。他因家中出了一些狀況，週末不能再去那小屋約會了，至此消失踪影。於是佩佩打電話回家，我們又在診所見面。

這次回來佩佩總算明白，過去似假如眞的一段情原來只是一場惡夢罷了。兩人感情破碎只是遲早而已。現在她比誰都想重新站起來。正因爲網婚、網戀完全沒有外來拘束力，所以任何有情男女要走進去之前，是不得不愼重的。更何況在開始時就知道對方是已婚的，應及時煞車，不然自己就成爲對方的外遇了。

性外遇與情外遇

其實外遇可以分爲兩種，一種是「情外遇」（love affairs），一種是「性外遇」（sex affairs）——情外遇是眞正感覺愛上對方，而性外遇是只有性關係的刺激和接觸。已婚的男女如果陷入情外遇，內心眞的感覺和對方相通，以爲遇到眞正愛情的知音，甚至由愛生慾，才尋求靈肉慰藉。碰到情外遇是婚姻的致命傷，很少婚姻能再完全康復。

反之，有性外遇的男人雖然讓婚姻造成暫時的傷害，但是婚姻常能保全，不見得會結束，因爲男方並不急著分手。當然，有多次性外遇的男人，在感情方面的出軌是有病態，性耽弱（sex addict）是需要做長期心理治療的。

前面提到的兩個案例，前者露西的先生顯然是眞的愛上對方，所以才急著和妻子分手，是所謂的情外遇；後者約翰是將網路當成色情交易站，將佩佩當成他的性伴侶，一旦新鮮感喪失，逢場作戲自然斷得也痛快，是所謂的性外遇。其實不論是網路結交或直接認識而結合的男女，都有可能面對婚外情，只是現在又多了由網路管道新添的異性引誘。

不論古今東西，原本婚外情就處處發生。因爲色誘更增，現在男女能廝守一生眞是非常不容易。人類學家研究報告就指出，世上現存的原住民一、一五四種部落裡，其中一千種部落仍然允許男人有一個以上的太太。

從心理和生理觀點來看，男人都絕對比女人更容易有一夜情。女人不管多風流，一年只能生育一胎；而男人卻能同時使幾個女人懷孕。權力、金錢和社會地位更是決定有多少女人的主因。過去的帝王可以有六宮粉黛，現在有權有勢有機會（如利用網路作餌）的男人仍然是多婚多情事。

所有的心理報告都證實，婚外情產生外遇是造成離婚的主因，因爲沒有了信任，婚姻保障也就消失。報告中也顯示因外遇而離婚的人，八〇%離婚後又會懊悔自己結束了過去美好的婚姻關係。離婚後和外遇對象結合的成功率非常低，因爲沒結婚前是偷情的愛人，好玩又浪漫；結婚後的日子，外遇成了老婆，依然是柴米油鹽的生活，還得面對過去的彼此毛病和前妻留下的子女，是可忍孰不可忍。

女人也因自由平等，比前更易有婚外情。二十多年前，三、四十歲已婚女性才有外遇；現在連二十多歲的女性外遇都在增加。無論男女，大部分的婚外情都只能維持個兩三年；只有極少數的婚外情能持續一生。

其實，一個婚外情的受害者最需要的，是及早擁有自己的一片天空。台灣「晚晴婦女協會」創辦人施寄青就說過，已婚者得時時加強自己的實力，才不致在婚姻失敗後又一敗塗地。台灣名嘴苦苓也曾說過：「愈有能力離婚的人，婚姻就愈有保障。」我常用這些話來鼓勵失婚的受害者。

照顧自己，經營自己

當另一半有了婚外情而背叛婚約時，很多人的感受是萬念俱灰。因此以下的兩大良方非常重要：用心經營自己；以及放棄對另一半百分之百的經濟和其他依賴，自己得有工作能力，這樣才有資本和對方作長期談判和抗戰。

發現配偶變心，剛開始都會像露西一樣，很容易痛苦落淚，更會生氣和感慨生活無常。最容易犯的通病，是成爲想討回公道的憤怒的女王蜂，想爭這一口氣。有的是逢人就哭泣，到處求神問卜，希望令對方回心轉意。我在診所常看到，一些人說自己灰心絕望到變成自己最不想做的人。

其實這時最重要的是好好照顧自己。給自己足夠時間冷靜下來，慢慢分析瞭解自己和自己的下一步；切忌此時做重大的決定，諸如辭職、搬走或想不開走上絕路。

首先該自我療傷，努力維護身心。盡量保持吃睡正常，運動和靜坐也很有幫助。仍然要和深愛你的親友保持接近。去看一個你信服的心理醫師或宗教人士做心理復健，讓自己可以更客觀的面對自己的問題，找親朋好友訴苦反倒不易客觀，因爲究竟應「趕走他」或是「裝著沒事」都是別人的想法，並不見得適合自己。

總之，不論是不是經由網路，婚外情都是婚姻遇到危機；但這絕不是人生的盡頭，它甚至可能是另一個轉機、甚至是另一件好事的開始。希望由這紅燈亮起，可以學到新的體驗，在未來的人生中用得著。

柯林頓的太太希拉蕊（Hillary Clinton）轉型成爲一位成功的參議員，黃義交的前妻鄭春悅因爲表現高雅，得人稱讚和感佩，不但有理想工作，又是虔誠基督徒，也再嫁給教友又是科學家的如意郎君，都是現成的佳例。

沒有遇到婚外情的男女，當然更應瞭解，能在現今的社會有這樣的婚姻是多麼難能可貴，更應自制、惜福和體貼自己的另一半。

4 你敢結婚嗎？敢離婚嗎？

強化自己，增加自有的籌碼，鞏固自身的實力，這樣才具有更多獨立和選擇的能力。所以敢不敢結婚或離婚，實在是個人自己的選擇，我們都應該尊重。

在診所的二十多年，的確看過不少怨偶。但是只要雙方都願意學習誠實地看自己和對方，試著學會有技巧的面對危機，有心也願意和好的夫妻，是絕對可以由外遇或其他的困難中走出來的。

三對就有一對出軌

婚姻的外遇究竟有多少，在統計學中十分難測。譬如一份最近的心理報告證實，三七%的已婚男士和二〇%已婚女士承認自己曾經不忠；而可以肯定的是，會對科學家和配偶同時撒謊的男女也不在少數。所以最保守的估計，在美國，每二‧七對夫妻中，最少就有一對有過婚外情。

究竟什麼才是婚外情？偷偷約會算嗎？還是和外人接吻才算？我想這眞叫淸官難管家務事，很難準確的定義，因爲每個人和每個家都有不同的看法。只要有第三者侵入家庭，而你有被欺騙或出賣的感受時，就算是了。當然，一旦自己的配偶和第三者有了性關係，不管是一夜情或是經過一段長期感情關係的經營才有的，都令人非常痛苦。

高居不下的離婚率，是第一個令人不敢結婚的主因。這幾年亞洲中的台灣、日本、大陸等國，離婚率都在逐年急速增加中。美國的離婚率從一九六〇年代到七九年直線增加；反倒是從八〇年到現在一直持續下降。

美國也早已不是世界離婚冠軍，根據二〇〇〇年聯合國國家健康統計，離婚中心的統計（National Census Study）中，居然俄國、瑞典、芬蘭、英國都較美國更多，很多國家又緊追在後（加、法、德等）。美國最新的調查是，超過四〇%的第一次婚姻會以離婚收場，離婚機率最高的是在第三年，離婚的家庭年收入比未離婚的低很多。所有的心理報告都證實，在離婚的家庭或父母婚姻不快樂的家庭中成長，都會對孩子造成負面的影響。在美國，七〇年代的適婚年齡成人中有七二%是已婚，目前已降到只有六〇%的人是已婚。

不論中外，新聞媒體上刊載愈來愈多的社會八卦新聞，公眾人物的變心和變情之頻繁，帶來的最大負面影響，就是產生愈來愈多不敢結婚的未婚女性，她們恐懼婚姻，對男人沒有信心；年輕男性也沒樂觀到哪裡去。年輕男女對婚姻都失去信心，於是同居的人多，結婚的人少，不婚的人年年增加，這也都已成爲不爭的事實。

誰需要丈夫？

二〇〇一年八月底的《時代雜誌》（*Time*），就以〈誰需要丈夫？〉（Who needs husband?）做爲封面故事。他們主要是引用一九九九年美國羅特格大學（Rutgers University）的全國婚姻研究報告，發現全美現在由六〇年一千位單身女性有八七・五人是已婚，降到九六年的四九・七人。因爲年輕的新女性對美好又持久的婚姻制度並不樂觀，也不甘願爲結婚而結婚。她們大部分一定要等到眞正遇見理想又可依靠的人才要嫁。有六六%的單身女性和六三%的單身男性表示，他們寧願多等些歲月以便找到更理想的終身伴侶。現在不論男女，大多都抱著寧缺勿濫的選擇配偶態度。

這一方面是因爲現今社會普遍更能接受一個單身女性和男性，加上風氣的自由又開放，人們更能接受同居，或不結婚也可抱養，生育子女。《時代雜誌》的民調更發現，六一%的單身女性考慮自己養育孩子，也有五五%的單身男性考慮自己養育子女。所以一下子，婚姻制度就變成可有可無。no gain, no pain，不婚也已成爲另一種生活方式。

私家偵探探真情

現代男女之間的情色新聞層出不窮，千變萬化，使得要走進任何愛情關係的人，似乎得先理智的想想。在那神秘未知和煙霧迷離的未來中，拿出手邊的照明燈先確定，解讀未來方向，再摸索勇敢的向前走。

有一天在台灣衛星的中文電視節目「非常男女」中，聽到一位兩性專家再三的呼籲年輕男女，在認識初期不妨先找私家偵探調查對方的日常生活狀況，因爲對方如果要故意隱藏他的家居生活，此時就無所遁形。由此進一步瞭解對方的過去和目前狀況，遠勝於看星相或占卦。我聽後也覺得，這的確不愧是一個創新的方法。

在美國除了有大哥大的紀錄，其實家中電話裝來電顯示也是很普遍的，也可同時查出是什麼人打來的電話。沒想到，在我診所就聽到一個十分有趣的案例，這是十多年前我的一位女性病患的故事。

多年前當大哥大還不盛行時，我曾經有位近三十歲、名叫琳達的女性病患。她會找到我也是花了好一番功夫。她是從小生長在拉丁美洲的白人，父親因爲是外交人員，長期出國在外。二十歲之前，她一直在拉丁國家生活，雖然上的是美國學校，和父母也是說英語，但天天接觸的朋友都是說西班牙語的。等到回美國上大學時，自己總是找外國學生結交，因爲她總是從那些外國人身上找到自己，反倒是和本國的同胞不易有戚戚焉的同理心。由於有過幾次不好的異性朋友的經驗，心中十分的低落，於是找心理醫師也自然就找一位和她一般具有雙文化的人。

琳達塊頭極大，濃眉大眼，長得別有一種氣質；但是一說話起來，就不知不覺露出拉丁裔人的模樣和神情。她說最近在偶然的場合中又結識一位希臘來美的新移民，他是由東部總公司派來出差六個月的專家。工作如果進行順利，他就得在六個月之後離開這裡；否則就會延後，反正一切以工作進展爲主。她笑著說，兩人都是個性保守又很會談天的人，下班後總是一同吃個晚飯，或看點電視就各自回自己的公寓。最近每晚幾乎都在一起。

我問她對方的英文如何，她說還可以講得通。因爲對方一家都移民來美，他從高中就來此念書的，她還說他們最愛談的是各國風土人情的影響等等。不久，離她所說的六個月時間就快到了，琳達於是開始設計在自己的公寓準備燭光晚餐，將這可能的「定情夜」弄得更多采多姿。

臨走那天，琳達還特地訂了下一週的預診，準備訴說離情依依。沒想到不到兩天的時間，她突然來掛急診，一進來就氣嘟嘟地告訴我這兩天所發生的奇遇。

兩人的「定情夜」的確浪漫，晚宴從放著他們共同喜好的音樂開始。吃完後，兩人還隨著柔美的音樂擁抱著跳舞。接著，兩人第一次有著熱情擁吻以及性愛的舉動。然後對方就以明天一早要開車回東部爲由而離開，還說以後可能會很久才能見面。琳達說，當時的她想到，可能在東部的他是有家人和必須離別省親吧。

兩人臨別時，男的答應她開車一到目的地，就立刻打長途電話過來，讓她放心。於是那天琳達就時時看著手錶，心中盤算著時間，這樣等著那長途的佳音。果然在第二天晚上，有電話來了，也果然是那位郎君。她坐在桌邊和對方細聲柔語，不經意的看了一下來電顯示，心想是長途電話。但是完全出乎意外的，對方仍然是用在此地的老電話！顯然對方根本沒搬家，也沒出城，那爲什麼要撒下這麼大的謊呢？自己眞是估計錯誤，眼鏡碎滿地！

那晚是週日，琳達整整納悶生氣地失眠了一夜。翌日，在上班前她第一次走進對方的辦公室。當她站在對方的桌前時，眞是把對方嚇死過去！對方站了起來，一句話也說不出口。此時的琳達氣憤的只說出一句話：「你爲什麼欺騙我？你如果要和我分手，我也不會拒絕的呀！」對方除了連聲說著抱歉，只說：「咦，妳怎麼發現我還在這裡？」居然不再作聲。

琳達後來還來過幾次，那位號稱希臘的郎君從此失去音訊。倒是琳達想開了，常笑著提這件事：「他肯定是外國人，不然怎麼去過我家這麼多次，就沒看出我有來電顯示這個玩意兒呢？」

不久，她又結識一位從墨西哥來工作的同事，兩人進展順利，不久就沒有了她的消息。

老公偷腥我認命

我最近收到多年前的老病人從外地寄來的一封信，她是一位從錯誤的婚姻中走出來的職業女性，這些年來儘管早已離開此地，倒是常會寫信來報告她的近況。她和子女也已成功的擁有自己的小窩，每到暑假，子女的爸爸也相當負責地接他們到他自己的家過幾個月。

在這封信中她提到，過去選到一樁錯誤的婚姻，對人的一生影響實在是太大了。她說每當美國同事問她有沒有想過再婚時，她總是說想是想，但是她對婚姻的恐懼感總無法消除。基本上，因為過去失敗的婚姻就像惡夢一般，以致她對男人不容易有信心。兩者相比，現在的單身生活過得很快樂，充實又自由自在，與過去已婚的日子比起來真有天壤之別。居然過了這麼多年，仍然不懷念已婚的日子有什麼好處。由此可見，有的婚姻實在兩人關係太差，根本無法挽救，難怪自願成為不婚族的人也愈來愈多。

不過婚姻這種事絕對是如人飲水冷暖自知，每個人感受非常不同。茵茵第一次來到我診所時才剛剛大學畢業。她長得非常健美，打扮也十分時髦，眞看不出早已是一個孩子的媽了。她來自一個父母不全的家庭，原本也是台灣的小康家庭，由於爸爸早逝，媽媽拿了一筆錢，帶著半大不小的四個子女來到美國，重新創業。

茵茵是長女，立刻半工半讀，將高中念完。大二時認識了現在的先生小周。小周也是台灣來的新移民，長得好看又能言善道。兩人因為背景相同，一下子就打得火熱。茵茵懷了孕，只好在大三結婚。婚後和公婆住在一起，婆婆照顧小孫女，她這才把學位念完。小周則接掌父親的進出口生意，三代同堂生活倒也過得平穩。

看她和我聊得輕輕鬆鬆，我好奇的問她來我診所的原因。茵茵這才說，小周和他爸爸一個樣，很喜歡偷腥，吃完腥就會回家，養精蓄銳一陣子，然後再出去打野食。我問她這是什麼意思，她說就是再出發，去結交新女朋友。我問她，妳怎麼面對的。茵茵很有把握的說，因為我知道他自始至終都是最愛我的，小周的父母和兄姊也都同意，小周也早已將所有的財產轉入她的名下。茵茵在述說這段事的時候，並沒有露出特別難過的模樣。

她還說自己沒辦法有父母雙全的家庭，絕不願意自己的小孩也如此，只問我她該如何經營自己的生活。我反問她，妳準備怎麼做。她笑笑說，婆婆告訴她，公公也是如此花心；但是過了六十歲，這花心病就好了。她露出很認命的樣子，也從沒有想要離開小周的意願。她還說她和先生的性生活也十分和諧。於是我能做的，就是培養她成為一個獨立的專業人才。茵茵不久就考上建築師的執照，我也就多年沒再見聽到她的消息了。倒是最近一次在公眾場合遇到他們，兩人態度依然十分親密，小周還故意和我打招呼。臨走前，茵茵偷偷告訴我小周已經很少再亂來了。

尊重個人的選擇

上面所提的三位女性病患表面遭遇雷同，個人需求卻明顯不同。三人雖有不同的後果，卻都能走出過去的陰影，擁有自己的天空和世界。我想即使歷史重演，她們依然會選擇走不同的路。其實對於任何一個婚姻受害者，最重要的是強化自己，增加自有的籌碼，鞏固自身的實力，這樣才具有更多獨立和選擇的能力。

因爲除了本身不同之外，包括個人的獨立性、自己自小生長的家庭、工作能力、對子女的考量、自身婚姻的品質，以及和已婚夫（妻）家人的感情等其他的因素，都會影響個人的決定。所以敢不敢結婚或離婚，實在是個人自己的選擇，我們都應該尊重。

第3篇

爲誰辛苦爲誰忙

1 婚姻失樂園：錢、權、性

哈佛大學的婚姻關係及心理研究所，最近針對美國四萬個家庭作了一次調查發現，各階層家庭會導致婚姻破裂的另一主因，是因爲金錢而導致反目成仇。

日前美國加州聯邦女見習生李維（Chandra Levy）離奇失踪，很可能與衆議員康迪（Gary Condit）有染有關，天天都成爲頭版新聞。據報載，康迪仗著自己有權有勢，這已不是他第一次傳出婚外情了。

Power is sexy 一再的重演。爲什麼會時時發生在受過高等教育的年輕女性身上，而且總會一再上當呢？那不外是因爲有權的人也往往是有錢的人。人一有錢，自然也就更可以將自己包裝得更精緻、更優質，受異性引誘或主動追擊的機會也自然增加了許多。於是老少配或婚外情常因此而一再發生呢。

男女關係的相對模式

男女的故事一再重演，就如同家庭中的夫妻關係很多時候也都會有一個模式。男女的關係往往都會是相對的，有此就有彼，而且一再地重複。就拿婚姻中的兩個男女來說，一個拚命打扮光鮮出去招惹異性，另一個就會拚命猜疑；一個愛作夢又不切實際，另一個就更現實的去執行；一個較悲觀總想不好的事，另一個就較樂觀老朝好處想；一個喜歡說又愛現，另一個就變得沈靜又低調；一個愛管孩子，另一個就不大喜歡管，甚至放縱。一個聖人型的先生就造就了一個總覺自己事事做不成的罪人型太太；一個生性節儉，另一個就顯得花錢無度。每次在診所遇到夫妻吵著對方不肯做家事時，我總會說一個做得多，另一個就自然做得少。的確，一旦在家中角色固定，就一直重複地扮演著而不知覺。

美國哈佛大學（Harvard University）的婚姻關係及心理研究所，最近針對美國四萬個家庭作了一次調查發現，各階層家庭會導致婚姻破裂的另一主因，是因爲金錢而導致反目成仇，成了冤家。兩人反目的原因，是雙方對金錢的看法有很大的差異。平常夫妻中錢賺得多的那一方，比較希望有較多的權力，也希望對家庭中重大事務有更大的影響力和發言權。但是在漫長的婚姻過程中，卻經常會出現在不同的階段夫或妻賺錢有多有少。於是先生和太太的權力或影響力得時時調度，一旦調適出現問題，婚姻也同時會亮起紅燈。

得意的太太與失意的先生

燕燕和哲偉是人們眼中的標準夫妻，兩人都有理想的工作，又育有一對人見人愛的兒女。先生在一家建築公司擔任總工程師，太太則在一家大企業擔任機要秘書。先生是一個喜歡開玩笑、輕鬆自在的人，太太長得漂亮，做事認眞又好強，兩人搭配得十分圓滿。

人前人後，哲偉總說自己娶到一個最好的太太。燕燕因爲能力受大老闆肯定，而被調到另一部門，從此平步青雲。差不多同一時候，哲偉也因公司包了國外某國大工程，而成爲總負責工程師，全家爲之雀躍不已。於是先生常出差到某國，燕燕也努力配合。家中因爲兩人都忙，也找了工人來幫忙。沒想到不久，某國發生戰亂，所有工程不得不停滯，哲偉的工作於是成爲泡影。這對他眞是青天霹靂，眼看從事業的最高峰突然降到最低點，回家之後，開始如洩了氣的皮球，沈默又沒勁，好似變成另外一個人。

反之，燕燕此時卻大受老闆重視，常和一組老闆親信又身兼高級主管的同僚出差到中國大陸。一年之內名利雙收，難掩得意的臉色，常回家等不及就想和老公分享自己的榮耀，往往正口沫橫飛的敘述自己意想不到的成績時，卻立刻感受到哲偉反常的冷漠。初時燕燕還可忍受，也會安慰和注意到先生的不如意；久而久之，燕燕開始感覺受到傷害。她會覺得哲偉變了，不再關心她了！她開始嫌哲偉總是自己鑽牛角尖，一個不能分享自己快樂的男人，還算是好老公嗎？於是燕燕也變得常派先生的不是。有時吵架，更會說出諸如「你一定是在工作時不會表現啦」或「你根本不像男人啦」這些很傷先生的話，令哲偉非常招架不住。

爲此兩人開始逐漸有了距離和衝突。燕燕收入突增；反之，哲偉有好一陣子呈現半退休，之後又改換工作。兩人過去在家中一貫的權力平衡從此不見踪影。因爲以往哲偉才是主要的賺錢人，燕燕有很多年是專心養育子女爲主業，外面的事可做也可不做；現在突然變成燕燕獨掌大權，有了很大的控制權，而且工作位高，隨之而起的壓力也相當地大。

有好長的一段時間，人們都是看到燕燕在外長袖弄舞，獨自在外社交，其實燕燕的內心也是非常的寂寞。另一方面，哲偉則益發喜歡躲在家中，見到朋友也很少發言了。

不久，兩人先後都傳出有第三者，婚姻在很短的時間內就草草結束。

遠距夫妻多挑戰

記得半年前，曾看過一個十分頹喪的王先生。他原本和老婆過著小康的生活，後來兩人因爲有太太親戚支助和特別關係，決定雙雙辭職，分別在大陸和美國兩地做進出口生意。初時先生跑大陸，太太在美負責聯絡和帶孩子。後來，因爲太太的家族喜歡太太去拉人際關係，於是太太放下孩子去跑大陸業務，而先生在美作接應，和照管半大不少的孩子。

不久，先生講著講著就掉下眼淚來。原來太太在那邊愈做愈成功，開始有了自己的私房錢，也就更少回家，回來時心也早已不在先生和孩子身上。不久就傳出太太早已在大陸有了意中人，也早就將大部分的金錢轉進自己的荷包中，眞是和男人包二奶同曲異工。由此可見，金錢的魔力有多大。

王先生能走出來，將自己的心事一股腦兒告訴心理醫師，這個行動本身就已是往康復的路上走了一大步。的確，人一到中年，猶如日過正午，婚姻的中年危機也在此時到來。國內的俗語有的稱中年人是ＬＫＫ（lau kho kho，台語指老人），的確是遇到最多考驗的時候。這包括雙生涯女性被家庭和事業榨得辛苦，還有中年女性意識的覺醒，加上雙方老邁的父母需要照護，青少年兒女的叛逆等壓力。夫妻有這麼多的掙扎，如果此時兩人收入改變或不等，一方在給家用時一臉陰沈，或是一方有更多的社交機會，遇到更多俊男美女，婚姻品質立刻沖淡，顯得更為無味。

因為世界變小，愈來愈多的夫妻分在兩地生活或工作，或是因為工作不得不分開兩地（如以上的王先生或康迪眾議員）。兩人結婚久了，原本新鮮感早已喪失。女人到了更年期，更勇於表達不滿。男人過了四十，性機能衰退明顯露出，雄風不再，對於男性的打擊非比尋常。此時的男性和「有本事的」（指有金錢的）女性，反而變成外遇高危險群。因為夫妻一旦性趣不大，沒有了其他的親密連結，如果再沒有其他的共同喜好，只有責任的話，怎麼可能有歡樂的交集？更別說是親密了。

正如台灣作家李敖常帶在嘴邊的「男人一定要換新的女伴，才能滿足性需求」，所以夫妻一旦無法在家中得到肯定，或因彼此所賺的金錢或權力不平衡，那麼用有其他的性關係來證明自己的魅力猶存，也是一種嘗試，這也是許多男女開始有婚外情的原因。芝加哥大學（University of Chicago）最近訪問了五千位已婚男女發現，二一・三％的已婚男性和其他女人有過性關係，一二・五％的已婚女性和他人有過親密的關係；令人驚訝的是，在這些出過軌的人之中，居然有一〇・二%很滿意自己現有的婚姻。

由此看來，這種婚外情說來說去還是金錢過多惹的禍，有些和婚姻品質沒多大的關係。很多接受調查的夫妻說，這只是和別人做愛罷了，逢場作戲而已。所謂老話說「富貴不能淫」，大概就是指人性中一旦有了權勢和金錢，不想滿足淫慾是件難能可貴的事吧。

美國的康迪和在台灣的相差三十歲的老少配，都是八卦新聞的超熱門。仔細想想，台灣的莉莉如果不是卡拉ＯＫ的老闆娘，只憑徐娘姿色會引起小鄭的青睞嗎？因爲有錢勢，就有機會表現，就有閒情表達相知相惜。加上來自社會和家人的阻力，也更增添如同羅密歐、茱麗葉的悲壯和浪漫。

一生的課題

因爲人生的路子很長，到不同的階段，夫妻都要時時培養兩個人在一起的親密世界才好。婚姻不是枷鎖，有家有婚姻才有避風港。夫妻的愛情不會輕易失去，只是會很快轉變成更深的親情。即使一方掙錢又賺了地位，占盡優勢，逢場作戲到處偷香，但是找到眞愛的機會並不容易。試看如建築業大亨唐納・川普（Donald Trump）和女星茱莉亞・

羅勃茲（Julia Roberts）等，迄今也不見有天長地久的美好男女關係。夫妻隨著年齡漸長，會遇到不同的挑戰，所以碰到瓶頸和衝突是不可避免的。夫妻該做的是學會及早面對問題，而不是讓小問題成爲老問題，日積月累、冰凍三尺，就成了不能解決的死角。

夫妻在新婚時面對的是適應彼此；接著就是學會如何平衡，這也包括有孩子之後，金錢的分配，兩家其他家人的親疏，以及事業的權衡等。等孩子都長大，兩家老人故去了，夫妻又進入另一個成熟的層次，兩人又要重新培養沒有任何第三者——眞正空巢期——的親密關係。所以婚姻是我們一生的課題，每一時刻都有新機，都有新的成長和希望！

2 誰的天空變大了？

不論在家中或工作場所，先生都和太太站在一起共同打拚。兩人分工合作，此時彼此的情誼增厚，心情開闊，誰會在意頭上的天空有多寬闊呢！

記得小時候看所羅門王的故事：有兩家的父母都堅持某個小嬰兒是他們的，兩家都自以爲有足夠的證據，但是仍然相持不下，於是去找國王作決裁。英明的所羅門王也無法令雙方滿意，只好用激將法解決。國王說，既然孩子兩方都不肯放棄，那麼一家就分孩子身體的一半吧。親生的父母當然捨不得，就露出眞情，這才決定了是誰家骨肉的美好結局。

偉大的東方女性

但現實的人生，眞的很難爭取到眞正公平和平等的待遇，尤其是夫妻關係。台灣在二〇〇二年三月八日，立法院好不容易通過歷經十一年奮鬥的〈兩性工作平等法〉，可以說是遲來的勝利。即使女性在台灣受高等教育的比例與男性絕不相上下，也有了一位女性的副總統，女性平均薪資卻只有男性同樣工作的七成。對女性最爲不利的，就是走進婚姻之後，家庭中的家務和生養子女，都比已婚男人沈重得多。台灣更是嚴重，根據統計，女性平均花在家庭雜務時間，竟然是男性的五倍之多！

我發現，一九九〇年代有一個日本和美國的住家男女比較，煞是有趣。這是在九二和九三兩年，由日本厚生省和美國康乃狄克大學（University of Connecticut）合作的研究報告。他們發現，日本男人平均每天花在一般家務上的時間總共只有十一分鐘。所謂的一般家務，是指泡茶、抱孩子、接送上下學，或是倒垃圾、淸掃廚房等。一天只用了十一分鐘，可以想見日本男人做多麼少的家務呀！

相反地，美國住家男人平均每天花在一般家務的時間是至少一〇八分鐘，比日本男人整整多出九倍有餘。也就是說，他們差不多下班後要協助太太做近兩小時的家務。

這份調查報告同時指出，日本女性會考慮成家的結婚主要理由是：尋求經濟的安全保障；而美國女性主要想結婚的理由，是爲了得到愛情和一起生活的共同情趣，她們居然將經濟保障（所謂的長期飯票）放在第十一個理由呢。

看到以上的報告，不禁讓人更同情亞洲女性，她們不但要外出拚經濟，回家還要拚家務，一根蠟燭兩頭燒。希望台灣有了這個制度的改革之後，職業婦女不論在職場和家中可以有更廣闊的天空。其實法律是法律，文化是文化，即使身處再有保障的地方，對兼顧職業婦女和家中媽媽雙重角色的女性而言，都是大挑戰。

三重角色，三倍辛勞

第一次看到李太太的經驗很深刻。她顯然為了來看我，還特地提前將兩個上小學的孩子也接出來了。她進來時，我沒有看到她的孩子，一直等送她出去時，才看到兩個可愛的兒女衝進來問她要糖。因為她們表現出色可以有糖吃，李太太於是從皮包中拿出事先準備好的糖果來，並說糖果要等開車時才能吃，現在只能拿著噢。

◎孝子都是好先生？

李太太來是為了婚姻問題。她和先生是大學同班同學，兩人都是學理工的，班上一直僧多粥少，先生是多位追求者之一。她會選擇李先生，是因為對方看來老實，對家中的母親（也就是她後來的婆婆）又特別孝順。她苦笑著說：「人家都說孝子是好先生，不是嗎？」

沒想到等結了婚，搬進先生的家，也是她擔任雙重角色（職業婦女和太太）到三種角色（職業婦女、妻子和母親）的開始。她說因爲和夫家的公婆住在上下樓，倒是還有自己夫妻的空間，只是每天的工作分量眞是由加倍到成爲三倍的辛勞。加上先生成長自傳統家庭，從來在家就沒有做家事的習慣，也打從心底認爲持家育子是女人的天職。

她每天都得比先生起得早，一大早五點多起床，除了準備早餐之外，還得帶小孩到保母處。下班從保母家接回小孩，餵飽一家大小已是九、十點了，晚上也得比先生睡得晚。先生不幫忙一點家事，如看到她那天慢了步伐，就二話不說下樓到母親處吃飯了。於是公司、廚房都是她一人的工作場所。她常常一個人爲此生悶氣，因爲究竟是住在夫家的屋簷下，不得偷懶和抱怨。但是那些年，實在是自己忙得幾乎沒有睡覺和吃飯的時間。

加上出生不久的大兒子是他們家中的長孫，晚上就被爺爺奶奶抱去同房睡。此時小孩有任何的哭求，都是兩老一馬當先地滿足他，漸漸地養成他在家中的霸氣，不管是吃的或用的，都不會禮讓別的小孩。於是她想出一個釜底抽薪之計，以先生工作上有到美國念碩士的需求爲由，堅持全家出國，希望可以重新出發，先生也許從此不會只是做家中的大老爺。

◎換環境就會換性情？

萬萬想不到，來美後自己眞成了先生這個留學生的眷屬。她除了養育子女之外，又得操心柴米油鹽，最後還得到一家中國餐館打工增加家用。不久，她又意外地懷孕，生了一個女兒。先生還是原來家中的老爺，除了念書，根本不會幫忙任何家事，有時還會爲了兒女的爭吵聲而勃然大怒，說自己每天這麼辛苦，太太還不能體諒並供給他一個基本的讀書環境。爲此，他常莫名地發脾氣又毒打當時愛哭的小女兒。有時自己得做兩代的調人，而產生常有的挫敗感。

先生本來就十分靈巧聰明，後來拿到學位也同時找到工作。此時的他更是得意得不可一世，常常就動不動地用挑釁的口氣和她說話，氣勢凌人更勝以往。我問她可否舉些例子，李太太於是說，他會指著家中任何大小東西，說都是他辛苦賺來的，不能隨便浪費。他對自己倒是非常寬厚，常買最好的電腦及電腦軟體遊戲給自己；對妻小卻是十分吝嗇，買什麼她或子女的東西，他都得過問。家中每月剩餘的錢，他都會全部寄給在台灣的母親管理，太太根本不能過問，他會說他從來都是如此的。

這逼得李太太只好在孩子大一些後，搏命似的趕快邊念書邊打工，同時還得天天煮飯、接送孩子上下學，晚上就和孩子一同讀書。因爲先生不肯出她的學費，她甚至還得啓口向娘家借錢，這才把書讀完，也找到一份挺不錯的工作。

心想，這樣婚姻應該可以較好些了吧！沒想到先生居然認爲她賺的錢也該是兩人共有的。她邊哭邊問我，爲什麼他賺的該是他的，而我賺的仍是他的？我問她，家中孩子的費用是否因爲兩人同時工作而寬裕一些了？她想想說那當然了，但是爲什麼任何事還是得聽先生的而自己不能做主？我說答案是兩方面的：他過去的價值觀念就是如此，而且妳也准許他如此。她問我先生有可能改變嗎？我說除非他和妳一起來做夫妻諮詢，雙方都得改變。

◎走不出傳統的窠臼

李太太說：「他是那麼的大男人，怎麼可能肯來？更何況妳又是女人？對不起啊！」我說：「沒關係，這麼多年來，他從大男人方面得到那麼多的好處，要他更改生活方式恐怕不大可能吧？」

李太太失望的搖搖頭說：「他這一生是不會改了，妳看我該怎麼辦？」

我說：「妳滿意妳的婚姻嗎？除此之外，妳還有其他的抱怨嗎？如果他不改，妳會走出這婚姻嗎？」

李太太又無言的搖搖頭，沒說什麼。

「即使他不能改變，妳一樣可以改變呀！我總是鼓勵人試著用創新的方法來解決問題。過去的方法沒用，有沒有想出新方法？」我接著說。

突然，李太太說：「以其人之道還治其人之身，就用這個方法吧。」我不解的看著她，她突然冒出：「他會藏錢給媽媽，我也可以用類似的方法呀！」

看著李太太離去的身影時，我不覺感嘆地想到她剛說的話。她的新點子，居然又是千年以來中國女性同胞所謂「私房錢」的老方法！身在美國的新女性，明明收入和先生一般多，但是轉了一大圈子，仍是脫不了過去傳統家庭主婦的束縛。

夫妻是最親密的合夥人

這些年在診所，看到很多的中國家庭在即將瓦解時，快失去婚姻的太太常常第一個反應就是該怎麼辦，因爲對方早已控制了我所有的「本錢」。在美國明明有男女最平等法律的保障，偏偏有權力的一方仍是想盡方法得利受益又不肯幫忙。男女在離婚之後，即使財產均分，但是習慣性帶著子女的女性仍是生活水準大降。也難怪很多知名的單身女性（如台灣的殷琪或是美國的紅星茱蒂・佛斯特〔Jodie Foster〕）情願自己用科學方法受孕，反正結婚也得多做，不如不婚，一切自己持家來得輕鬆自由。

夫妻生活原本就是永無止境的妥協和溝通。其實，美滿的婚姻就是因爲男女雙方都願意讓步、願意肯定對方。兩人如有共同的認知和價值觀念，共同的輕重緩急，婚姻生活其實就是分工合作的最親密的合夥人。如果兩人一切爲了家庭的利益而打拚，即使男女角色對調，仍可以美滿又幸福。

我認識一對新移民夫婦，X先生因爲到美國後找不到理想的工作，心甘情願地放下身段，擔任「家中奶爸」和「主夫」的工作。而太太因爲在此受教育，所以找到高薪的工作，她就成了專心一意的職業女性和「賺麵包錢」的人。兩人在外面的婚姻形象非常搭配，因此引起我的好奇和尊敬。

X先生有一天自動地和我分享他的個人經驗。他說自己因爲晚婚，在台灣也看透了男性在職場的種種情色引誘，結婚那天開始就決定洗頭革面，要做一個「在家的新好男人」。不久，太太申請到美國研究所讀書，他就決定賣了自己公司的股權，帶著剛出生不久的小兒子，成爲留美學人的眷屬。爲了讓老婆專心讀書，他開始一樣樣做起：煮飯、洗衣、餵奶、換尿片……。兩人合作無間，這五、六年來，他們又生了一個女兒。他甚至和其他小朋友的媽媽一起輪流做校外活動的司機和其他主婦的工作等。

他們也非常熱心參與教會裡的義工活動，擁有很多的朋友。X先生笑笑的說：「所以只要老婆看得起我，全天下人如何想都不是我們的事了。」言外之意可以體會出他們的夫妻情深。不過他也承認，如果今天他是在亞洲的話，就不可能這般的自在。他並說自己原本深具童心，在養育子女方面更是發揮得淋漓盡致；加上在家養心修性，培養出一套入流的廚藝，也算是額外的心得。

夫婦兩人完全分工調職，將是未來婚姻生活的另一種生活方式。但是「男性沙文主義」的千年影響力依然不可輕忽，即使先生放下身段，仍難免有心中不平衡和自卑的時候，因爲外在的大環境常會給他們不必要的精神壓力。譬如遇到過去的老同事或同學好意的問你：「那麼孩子大了，你準備何時加入工作陣營嗎？」或對方別無他意的關心，都會引起自己的過敏。

X先生就曾提到，如果要他指出奶爸最大的缺點，那就是未來的人生方向不定。心情不好時，就多少會有自己在蹉跎歲月之憾，此時會想人生在世多少總是在矛盾、徬徨中徘徊；另外，由於天天都在柴米油鹽和重複不變的家務中打滾，發起脾氣和破口大罵時往往不自知。幸好太太脾氣包容，才不會大吵起來。聽到此處，我不禁莞爾，原來男女如擔任相同角色時，也有共同的「碎碎念」缺點呀！

我實在十分佩服這對夫妻能夠配合得如此天衣無縫，想想看，這在東方社會是多麼的稀有和難得呀！儘管立法院已經通過「家務有給制」，但是女人一旦做了母親就是一生一世，就像連續劇中的「阿信」一般任勞任怨，沒有自我需求，全心奉獻給家庭和子女。如果身居一家之主的父親不幫忙配合，擔任母親就成了巨大無底的陷阱。

有話好好說，家事一起做

一九九四年，密西根大學（University of Michigan）的社會研究部門發表一份報告指出，只要先生肯和太太討論、研究，甚至大聲說出有關婚姻的問題何在，這樁婚姻都不會差到哪裡去的，因爲兩人想的都是如何改善雙方的關係。家庭治療報告中的統計資料更發現，家中的男主人愈是肯參與家庭生活或做家務——哪怕時間不多——就愈會是家庭和樂的前兆！由此更能明白，原來唯有兩人的默契好才能成功的分工合作。這就難怪前面所提的X先生，那麼老神在在的說只要他老婆滿意就好。

個人的獨立與兩人世界的互相依靠，二者誰大誰小、誰強誰弱，原本就是夫妻兩個人的事。兩人如何取捨、如何平衡，其實是每樁婚姻的掙扎。每個家庭都有不同的起落處境，與獨特的溝通、表達感情的模式。家庭成員的運作都是一連串連鎖行動，就好像特別編成的舞蹈，所以在心理治療中，對每個家庭就有用「家庭舞蹈」來形容的。

像前一例中的李太太，做得愈是辛勞，家中的李先生就愈成爲大老爺，家中的兒女也更是只纏在李太太的面前東跳西跳。這樣的舞步從台灣又跳到美國，只要音樂節奏不換，大家仍是照老步伐跳著一成不變的舞。因爲夫婦二人各持己見，各守本位，雙方都認爲對方要改，自己卻不肯變。

做爲心理醫師，最重要的工作並不是要求進入這家來個徹底的改造，諸如鼓勵李太太搬出去或逼李先生非做家務不可等；而是應該鼓勵李太太用敏銳的觀察力，看出這個家庭能明白、能接受和可行的方式，讓家中的溝通方式改善，消除誤會，澄清訊息。兩人一旦在婚姻的路上能夠接受彼此異同的能力增加，感受到未來的希望，就更能增進改善的原動力，自然自己的天空就變大了。

《金賽報告》（*Kinsey Report*）和六〇年代的 Master 和 Johnson 婚姻性愛報告都已過時。一九九三年，美國維吉尼亞大學（University of Virginia）醫學教授瓊納斯（Jonus）利用問卷調查的方法，訪問了近三千個已婚族。這份報告因爲樣本人數衆多，很受到一般學者的重視。這三千人都是中產階級，歲數由十八到八十八歲。報告證實，儘管美國離婚率仍然偏高，但是已婚族對自己的婚姻品質卻是相當滿意！滿意程度很可能還高居世界榜首呢。

五分之三的已婚人士認爲，自己的性生活品質比婚前更好。八五％的先生和八○％的太太認爲，自己的婚姻是非常美好和幸福的（great and good），而且認爲「愛情」是婚姻關係中十分重要的一環。八九％的先生和八三％的太太都覺得，自己的另一半是他們最好的朋友！這足可證實夫妻成爲彼此知心朋友的重要。所謂好朋友，其實就是兩人能推心置腹，彼此都能參與對方的生活。不論在家中或工作場所，先生都和太太站在一起共同打拚。兩人分工合作，此時彼此的情誼增厚，心情開闊，誰會在意頭上的天空有多寬闊呢！

3 成功男人背後的女人

夫妻在長期的婚姻路上，也如朋友一般必須平起平坐同時成長。一旦一方成功順利一直往上升，另一方如長期沒有受到肯定，兩人人生的目標必漸行漸遠。

一句常說的口頭禪「每一個成功的男人背後，一定都有一位偉大的女性」，對很多夫婦是在公眾場合通用的讚美話。但是反過來說「成功的女人背後，是該也有位偉大的男性吧」，爲什麼很少聽到？爲什麼一般家中的男人在外可以義無反顧地打拚，而即使已有愈來愈多的女性走出家庭，卻得永遠面臨著「後顧無人」的困擾和壓力呢？

家中大小一肩挑

今天，就算是在先進國家如美國和日本，照顧家中的老年人超過百分之九十以上仍然是家中的女兒；其次才是媳婦和其他的看護人員，也都是女性。家中如有慢性病痛或殘障的子女，也多半是母親擔負起看護的重責。

二十一世紀的女性仍然無法放下家中大小，一心一意地專注於事業。爲此，很多事業心強的女性對婚姻產生憂慮而裹足不前，有一些更是結婚後也不願生育子女的「頂客族」（Dinks, double income no kids），已婚女性更多的是爲子女、先生而放棄現有理想工作或改變人生方向。這種女性如果面對的是家庭依然和諧，後來轉業又嶄露頭角還好應付；如果犧牲了自己又沒感到實質自我價值，此時心中的懊惱和壓力眞是排山倒海而來！這就難怪，已婚的女性迄今仍是尋找心理治療最多的病患族群呢！男性卻是失婚的才有需要看心理醫師，可見男女的壓力有多不同！

我有一個中學和大學的學姊，後來我們也先後來到美國留學，嫁了大學的同學。因爲大家都忙碌，很多年來我們只是偶而聯絡而已。間接聽到她的夫婿在兒女上美國大學後回台灣擔任教授。她當然不久也跟著回去，兩人在同一所大學擔任研究工作。這段時間，我還在台和美都先後和她見過面，她都明顯地適應得很好，也很能享受兩人世界的新生活。

不久她先生就入了政府內閣，擔任官職，官運愈來愈亨通。我們只有在中文新聞媒體上看到他先生的新聞。有一次我去華盛頓特區出差，在旅館中剛好遇到一群台灣的團體，一眼就看到她和她先生的身影，不覺就大聲叫出她的名字。她一回頭看到是我，居然眼圈都紅了。她熱情地緊緊的抓住我，說在台灣她的角色是「×夫人」，已經好久沒有人知道她是老幾，更何況是叫她的名字了。

第二天，我們約了一起吃頓中飯，她娓娓道來這十多年的生活。她說能和我單獨吃這頓飯眞是好難得，這才知道這幾年她先生工作的忙碌情形，加上官場的應酬又多，她只好停止工作，完全犧牲自己的事業。她說自己每天陪著先生好似享盡榮華富貴，吃盡山珍海味，就像一個坐享其成的豪門貴婦，又可以隨著老公到處旅行。其實生活過得好累，如同兩面刃。先生工作順暢時就以爲自己能呼風喚雨，心中很爽；但如工作不順，他的壓力需要紓解，向她吐苦水時動輒亂發脾氣。

四周的環境完全沒有眞正屬於自己的朋友，加上先生隨著日升的宦途愈來愈自我中心，每天只顧安排自己的工作，和幕僚討論工作策略。這是他的國家大事，必須花上他百分之百的精神，完全不能被任何其他事情煩心，做太太的一切都得和他配合才行。加上他身邊的人都是吹牛拍馬的下屬，對她這個太太一點都不尊重，那種漠視女主人的存在，使她這曾經生活過西方世界的人很不習慣。她給自己回台的結論是：「我現在算是那根蔥啊！（I am nobody...now!）」我只能靜靜地同情的做她的聽衆。

你的成就，還是我們的成就？

其實夫妻在長期的婚姻路上，也如朋友一般必須平起平坐同時成長。一旦一方成功順利一直往上升，另一方如果長期沒有受到肯定，久而久之，兩人人生的目標必漸行漸遠。以往家中一切為了孩子，無暇面對婚姻的衝突；等到子女都長大獨立，此時對方的成就畢竟不是自己的，而自己什麼都沒有，心中是很難完全平衡的。

◎「我現在對先生充滿反感」

吳太太來我診所，她說完全是「情非得已」，然後就簡短的介紹了自己博士的學術背景，她之所以說起，是想讓我明白憑她過去的讀書成績，也是可以擔任心理醫師的；甚至憑她過去豪爽果決的個性，如不離開職場，可能也比先生有更好的工作成就表現。

原來，吳先生在美國一家生化科技公司擔任高級主管多年，也隨著公司的需要四處調職。剛開始吳太太還在工作，後來念及孩子還幼小，家中的雙親總不能沒有一個可以花時間給孩子，於是就將好好的工作辭掉了。當時年輕的她一點也不覺得可惜。

等到孩子進入青春期，有三、五年先生被調到遠東，她不得已只好一人在美國坐鎮家中，讓先生單飛，只有寒暑假時才能全家團圓。不久先生又調回美國本土，因爲過去出差多年的經驗，升到高級主管的職位。但是此時兒女都先後長大成人，夫婦倆已到空巢期，完全沒有辦法適應單獨相處的生活。

先生做了一輩子的主管，年薪已是六位數美元的高階主管，她總感覺先生在家講話都是用指使的口氣，對孩子卻寵愛有加，很會籠絡年輕人的心。吳太太也曾試著再出去工作，但每次都是高不成低不就，鎩羽而歸，被先生當成笑話。此時，吳太太說：「我現在對先生充滿反感，也對自己一生所作的決定都反悔不已！」

爲了進一步明白情況，我請她下次可否和先生一起來。她說她會把先生帶來的。

沒想到下次來的人，是吳先生和剛好由外地來此出差的吳家大女兒，居然沒有吳太太。更出我意外的是，吳先生完全沒有太太說的大老闆架子，談話很有親和力，他一進來就說，眞是好高興知道，總算有一位專家可以和太太談談。此時漂亮的大女兒也微笑著同意點頭。

於是我在很融洽的氣氛下問他們爲什麼吳太太沒來。吳家大小姐用英文說：「我媽媽最喜歡說爸爸才是家中的病人，而不是她。」我抬頭問她的意見時。她笑說：

「我已經三十五歲，自己都有自己的家庭了，我是絕對不會擔任娘家的法官的。不過一切的問題，都是母親缺乏自我價值的肯定而起。我母親自以爲爲了家庭犧牲太多，可憐她是第一代的移民，也不瞭解這裡的文化。其實她這種心態對於我們大家都會有傷害，所以我老早就決定，婚後一定要上班，要有自己的生活和事業，不能像我母親這樣永遠沒有自己，總是黏住子女的生活而生活。這樣子久了，大家都好辛苦，她也總找不到自己的天空似的。」

吳先生認眞地聽著，沒吭聲，然後問我等一下可否單獨和我談談。吳家大小姐也會了意，臨走拋下一句話：「我爸媽都是很好的人，他們爲我們這家都盡了心。我在外面等爸爸啊！」

◎唯有子女，別無其他

於是屋子裡就留下我們兩人。吳先生想了想，就開始用中英摻半的話，說出以下的故事：

我太太爲這個家的多年付出，我眞的十分感謝。妳看，我的大女兒多好，多懂事？我的其他三個兒女也是優秀又能幹，工作表現受上司讚賞。我和太太一共有兩男兩女，都是如此傑出。這些年來，我一直都以這個美滿家庭爲一生最大的成就。

我太太以前也是一個很有才華的學生，所以我們才會有這麼好的子女。在家中，我和太太實在很少口角，一直到近幾年，我在家時間待多了，這才發現她對我非常排斥。要舉例子啊，讓我想想。嗯，比方我稍一提到外面的工作情形，她就會突然不悅或反應異常，如離開那間房間等。等我發現後問她，是不是不喜歡聽這話題？她就會用譏諷的語氣說，我不是你的下屬，不必一直聽訓，我還有家事要做。

還有，如果長大的子女回家時，她就更是過敏，生怕子女會和我比較親密似的。這幾年，我們父子五人已建立了默契，都故意在她面前讓她享受和子女在一起，子女的一切都是她的成就和她的尚方寶劍。譬如今天大女兒回家，聽到母親要我來看妳，表面上就站在她母親那邊，同意的說父親該自己來學習成長，接著就又用大哥大和我聯絡，一起來討論母親的問題了。

我們一家都想盡方法給她自我價值，只不過她還是不滿意。譬如，她這幾年喜歡到處去靈修之旅，我都是舉雙手贊成。她曾隻身到美、加各地雲遊，也去了印度、中國大陸、台灣、馬來西亞等地，每一次她都說會去很久，但是最多只能撐到兩三個星期，她就趕快回家。每次都是一點外面的鷄毛蒜皮小事令她不歡而散，譬如和她的室友有不同的生活習慣啦等，也很少結交到朋友。

對啊，我一直鼓勵她結交朋友。因爲一個人總不能把早已成家立業的子女，當成一生唯一的生活圈子。子女小時候，帶他們去世界各地旅遊是很美好的回憶；但是她迄今還巴著子女不放，不論度假或是其他他們小孩家的事，她都要搶著參與。子女常會私下向我求救。我試著勸她，她不聽還說我只會討好子女。我今天來，也是想如何幫助她找回自尊，我當然想幫她，因爲她是替我生育子女的母親，又是我自己找的太太。我更願意陪著她過下半生。

◎將心比心，學會傾聽

我看著吳先生，也誠懇地回答他：「自尊最重要的是得自己找尋到和自己感受到才行，不是別人可以給予的。不過你絕對可以幫助她，譬如針對她完成的事多給予肯定和多讚美。」

吳先生納悶地說：「我有呀！譬如她養育這麼優秀的子女啊！我常在口中提呀！」

我說：「問題是現今社會價值改變，很少女性僅只以養育自己子女就會滿意的。你看，所有登載的抗憂鬱藥文宣廣告，都是以中年的家庭主婦爲主打，就是因爲現今工業社會再也不像農業社會那般，有男主外和女主內的傳統觀念。正因如此，女性擔任全職家庭主婦是多麼的不受外界重視和尊敬。而且所有有關女性的心理報告都認爲，最有自尊的女性往往是什麼都有一些的女性，這包括有持家，有事業，有子女，也有其他的生活目標。」

吳先生趕緊說：「這些我都知道，所以我一直鼓勵她隨便找什麼工作都可以，甚至半天或全天得都行。因爲她不需負家庭的負擔，純粹是玩票嘛，但是她幾乎每份工作都無法撐過三個月。我仔細研究，其實她是想擔任一份比我還強的工作。這怎麼可能？因爲她畢竟出發得晚，這個世界到底還是男人做上司的多，對吧？」

我讚美的說：「難得你很肯幫忙太太，那你也應該明白，現今的職業女性或是家庭主婦爲了做好所有的工作，其實都是生活在愧疚和抱憾之中。因爲她們一生都得枕戈待旦的學會更有彈性，以擔任生活中的多種角色。外面的環境在改變，家中的人員也一直在成長。自己過去的主業可以變成副業，過去的副業卻又要成爲主業。不像一般男性，如果有美好的事業，如果偷得浮生半日閒，當奶爸似玩票，當然快樂無窮。女性如果本性好強求完美，剛直不通融，要學會生活重心改變或是伸縮自如，的確是難上加難。」

我接著說：「你也很可能犯上一般男性的理性溝通，你總是習慣提供答案和解決問題的方法，常令她感覺比你更低一等。她其實最需要的是你更能表達自己感情，體會她的感受，甚至有時得學會聆聽她的心情。想想究竟太太找工作是爲了什麼？這些年她雖然得到很多，卻也覺得不公平。她的不甘、氣憤究竟爲了什麼？能夠將心比心，才能平撫她的情緒。其實表達關愛和肯定她其他方面（除了持家）的優點才是最佳的良方。

「譬如，你可以學會說『看到妳這麼不高興也令我不開心，所以過去急於替妳作解決之方，卻忽視了妳的感受。果眞如此，請妳一定要原諒我，我只是要妳知道，我永遠站在妳身旁支持妳。我也願意學會作傾聽的人，請妳告訴我該怎麼幫助妳。』切記，無論太太表達的是不是負面感情，不要批判。等她安靜下來，再開始述說你內心的感受和對事情的看法。」

吳先生用心的傾聽，並一再說著感謝。之後，就失去他們兩人的消息了。一直過了三、四年，才在一個公開應酬中看到他們兩人，原來夫妻兩人已隨著吳先生的工作到北京生活多年。吳太太特地笑瞇瞇地走過來說，她好喜歡和享受現在的生活，現在忙得不得了，去上課學習中國平劇和太極拳，然後又迷上到處去看古董店的古董，聽或看世界一流的歌劇或舞蹈。

此時吳先生也走過來，附和著：「我太太的古董鑑賞力是專家級的，每次老外來中國我都得拜託她去陪那些老外看看。他們都鼓勵她應該開班傳授才是！因爲她的英語能力強又極客觀。而且我們現在每天一起上太極拳課和練太極呢！」吳太太很得意的微笑著。這對夫妻一向將子女爲兩人唯一可談的中心，現在終於適應了嶄新的角色，發掘出共同的喜愛活動，也有了屬於自己的新生活，兩人可以攜手飛向另一片天空。我眞是打從心中替他們夫婦高興。

婚姻是由愛情開始，照理應該愛是永不止息，一路走來很多佳偶卻成了怨偶。正因相愛容易相處難，見面美好同住不易，兩人原本性格和背景就不同，在現實生活中卻需成爲一種想法的家人，當權力不能平衡時，對方的一言一行都會成爲自己的壓力。此時兩人如何減少距離，互動的步伐接近，眞是一生都該學習的課業呢。

4 一個願打一個願挨？

施暴者反覆無常、陰晴不定的個性，是很不容易更改的。想想看，如果他的行爲可以使對方讓步，又沒得到外在的處罰，他有什麼必要更改呢？

對任何一位心理醫師而言，看到一個長期受虐的受害者來掛診，都是一件十分痛苦又無力的事情。因爲來的人往往是慢性又長時間的逆來順受，施暴者卻都是不肯現身的幕後人。

受害者只盼望改變受害現況，並不想離開對方或婚姻。他們暗想，如果施暴的對方能稍稍改變，婚姻還是不錯的。於是兩人長期一打一挨，早已成爲家中老劇本。如果有幸能和家中施暴者見面，對方也多是態度有禮卻又否認得乾乾淨淨。有的會說是因受害者常用語言或行動來刺激或招惹自己，他頂多是不小心拉扯到對方的身體而已；有的會說對方誇張過分，其實他才是眞正的受害者；或者是對方不肯聽話，而他只想使對方停止剛剛的行為。此時真是公說公有理、婆說婆有理的難纏家務事。

愛麗絲情迷記

愛麗絲是位美國土生土長的第二代，二十六歲，職業是金融分析師，從美國心理醫師同事處轉來看我。她身材高䠷，面貌皎好，打扮時麾，態度從容又常帶含笑，溝通能力強，是一位十分討人喜愛的可人兒。難怪從大學畢業之後加入這家美國最大的金融機構，就一直工作迄今。儘管遇到經濟不景氣，她依然步步高陞。我問她，究竟是什麼因素讓她一再的尋求心理諮商，她說，一切都是因為始自這半年和相好了近十年的未婚夫分手而起。

◎由同情而生愛

原來，愛麗絲在高中時是一切都特優的女生，無論功課，課外活動都是一把罩。她是家中的長女，父母在城中開了一間中國餐廳。下學回家，她還得照料三位弟妹的生活和學業，是成長在十分傳統又保守的中國家庭。認識大衛是十分不合家中傳統的事。大衛是她同校同班同學，他不是華裔，是越南來的新移民，家中只有母親和外祖母及七位兄弟姊妹。大衛常以請教學校功課爲由，和愛麗絲有了進一步認識。初交時，愛麗絲不以爲意，帶他回家和一家弟妹做功課，有一次被早回家的母親撞到，母親一看這個身材短小、面目黧黑的小子在家，頓時反感叢生，立刻將大衛趕出他們家。

愛麗絲對母親無禮的舉動產生從未有過的叛逆，對大衛反由同情生愛，從此才和大衛成了情侶。相反的，大衛一家人都對他有了這中國女友，功課大大進步，而對她十分愛護和讚賞。初交那幾年，愛麗絲的家人強烈地排斥和反對，覺得這個小子根本配不上自己的金枝玉葉。

沒想到大衛經過愛麗絲的調教，也和愛麗絲同進一所大學名校。此時天高皇帝遠，愛麗絲的父母再也無法三令五申的管制這對情侶了。在大學時，兩人念不同科系。大衛念得愈來愈好，脾氣和聲勢卻也直線上升，爲此兩人常起小爭執。以往都是愛麗絲照料對方生活，確定大衛做好功課；漸漸變成大衛不聽使喚，反倒控制和批評起愛麗絲來。

兩人就業之後，問題加劇。不久兩人共同買下一間房子同居，準備年底結婚。最近爲了大衛過去買下很多股票如今下跌而常爭吵，大衛突然提出乾脆兩人分手算了，不管愛麗絲怎麼道歉，他都堅持非分不可。愛麗絲頓時失去主意，還問大衛要不一起去看心理諮詢。大衛說他不覺得有此必要，因爲多年來受愛麗絲管教這管教那，他早已無法忍受了，他感覺自己比愛麗絲還優秀，偏偏在愛麗絲面前總像矮了一截似的。

◎怎麼輪得到他不要我？

我於是問愛麗絲，為什麼要由本來的美國心理醫師處換到我的診所。愛麗絲說，那位醫師不解她為何老想找回過去男友的行為，問她究竟人生未來的目標是什麼。她想，換一位同文化的中國人可能對她比較瞭解。我反問她，究竟對自己瞭解不。此時，愛麗絲突然不笑了，正色的說，我就是不服氣，因為該是我不要他，怎麼輪得到他先不要我呢？

我好奇的問她，為什麼妳會是該不要他的人？她想了想說，這些年來我們的關係早已改變了。原先我是時時照顧和督促他的人，上了大學因為科系不同，再加上他愈讀愈好，氣勢愈來愈兇，常批評我做人不好，脾氣又霸，我其實才是忍讓的那方。尤其在工作以後，他更是不可一世，常告訴我他有好多的機會結交新的女友，都因為我而失去，甚至說什麼女同事對他有意等等。以前從不出口的字眼如「笨蛋」或「沒用」，現在也常掛在嘴邊，很少和顏悅色的對她說話了。有時兩人吵急了，他更會用力地推她。我問她，這樣子已有多久了，愛麗絲想想說，總有兩三年了吧。

接著她說，這也是老美心理醫師告訴我應該看中國醫師的主因，因爲他不能體會我爲什麼還要維護這份關係，他以爲我該很慶幸分手才對呀。我問她，妳應該是最瞭解自己的人，妳爲什麼不呢？她安靜的搖搖頭。

除了父母，有沒有別人告訴妳，其實妳自己無論外在和內在的條件都很優異？我好奇的問她。她又露出那可愛的微笑，說那是別人對她禮貌的恭維，她的外貌其實極其平凡，完全靠自己打扮出來的，自己工作表現也只是工作努力的結果罷了。我想再進一步瞭解她，於是請她敘述一下童年成長的家庭背景。

◎動輒出拳的父親

愛麗絲的父母是高職同班同學。母親是家中的長女，下面有四個弟妹，從小能幹懂事，高職畢業就開始上班，幫助全家的家用。愛麗絲的爸爸個性較懶散，脾氣又暴躁，念了兩年大學就輟學工作，事業方面也總是三天打漁、兩天曬網。此時小夫妻兩已經結婚成家，爲此常有衝突。小時的愛麗絲常看到父親爲此打母親。父親總想自己當老闆，母親不得不成全他，但因爲學歷不高，家中又沒老本，要想擁有自己的事業談何容易，難怪總是心情鬱悶又不得意。於是爲了父親，母親特地下班去學烹飪，想盡方法移民，全家總算如願來到美國。

初來時，母親又很有計畫地到老中餐館打工。因爲母親的廚藝受到老闆激賞，父親也因母親介紹到餐館打工。過了幾年，兩人學夠經驗又存夠錢，才買下這家餐館，父親總算如願當上老闆。

我問她，現在父母感情有沒有因爲父親做了老闆而好轉？愛麗絲苦笑著搖頭說，他們大概將吵架當做溝通的一種生活方式吧。我們小孩子也都習慣了，反正他們又不會離婚，吵歸吵，都很愛我們。我接著問她，那現在只是小吵，不會打架了吧。沒想到這句話引起她的笑容驟失，立刻眼淚奪眶而出。

原來父親仍然會爲一點小事打母親，只是也許父親年紀大了，打得少、力道也比過去輕了很多。而且母親事後總會提醒父親，最好別讓他人看到，否則很可能因此被抓去坐牢呢。問她兩人是爲何事吵時，愛麗絲說還不是爲些雞毛蒜皮的家中事。我此時打斷她，告訴她其實我們都可以從自己的家庭、父母相處的模式，以及家人的互動之中學到最多；如不自知，很可能自己一生扮演的角色會代代相傳的。譬如父親在家中扮演的男人角色，或母親在家中扮演的女人角色，他們兩人平常相處的樣子，都會深深影響我們一生的行爲。像愛麗絲的父親粗魯、母親忍讓，這些都會影響家中的子女。

聰明的愛麗絲此時突然打斷我說，其實我和大衛這些年也總是大吵或小吵不斷。我問她兩人會動手嗎？愛麗絲說吵急了，大偉也會摔門或丟東西或推人等。

◎三種暴力關係

其實我們這些從東方傳統權威環境長大的新移民，要不是有足夠的心理知識，都不容易分清什麼是家庭暴力或是普通爭執。在心理學中，將男女關係分成三種暴力關係。第一種是感情或心靈暴力（emotional or psychological abuse），是指當男女相處一陣子，一方總想盡方法批評另一方；久而久之，令被老指責的一方感覺自己無能，雖沒眞的動粗，但在美國法律已構成暴力行爲。我問她，妳會不會受家庭影響，變得包容性特強。愛麗絲點頭說，難怪我美國的心理醫師要我來找你，因爲自己是中國人，家庭問題實在很難啓齒，心理醫師都不知道我父母這些事的。

我接著解釋，一個長期承受感情暴力的受害者，當受不了提出分手時，也會被對方揶揄說，你如離開更證明你遇到失敗只會逃避，又是一則你的過錯。和這樣的人相處久了，會更覺自己的無能，自信也隨之消失。久而久之，一方總用非常具殺傷性的責罵語氣，如你多笨、多沒用等。也不一定是女方就是受害者，有時家中的先生也可能被太太批評得體無完膚；不過一般施暴者仍以男方居多。甚至施暴者會責怪對方害他做錯，嚇對方你再這麼做我就會傷害你或家人等的話。

譬如對方是大學畢業，可是吵架時會說怎麼也無法想像你會是大學畢業。如果鬧到分手，不只全部是你的錯，甚至會用種種恐嚇如過去的性愛紀錄公諸於世，或毀掉什麼傢具或和你家人全部同歸於盡等，嘴中常出惡言。有時也會影響一家大小的吃飯或睡眠及生活作息。

第二種是肢體暴力（physical abuse），指爭吵時開始有身體接觸。如先生或太太氣極又吵不過對方，想令對方停止或想爭贏這場仗，就用力推打對方；或是硬說對方在外面有了異性朋友，打抓對方；或是吵兇了，拉對方跳樓；或用其他凶器想制服對方。一旦有這種爭吵模式，只會愈演愈烈。

第三種是性暴力（sexual abuse），甚至是強暴。一方此時不想有進一步的親密關係，另一方卻毫不停止用暴力完成，完全不把對方說「不」當一回事，事後，卻說是對方令自己情不自禁甚至有意引誘，或是說成我們本是夫妻，這根本是履行任務而已，對方不努力配合就是失職。或是約會時強行另類接觸，或是放藥在對方飲料中進行性行爲，事後以此威脅，而變成的親密關係。或是其他怪誕行爲，先生強迫妻子和他人有性行爲以滿足自己的刺激。

◎走不出受害關係

我解釋給愛麗絲聽，其實不管是哪一種暴力相向，共同特徵是受害者久而久之變得對自己的表現也不滿。因爲經過長期的受施虐者洗腦，受害者的自我肯定和自我價值都降到冰點，對於走出這份關係也變得毫無把握，對自己各種表現信心全失，也對未來沒有對方的日子，因爲害怕而裹足不前，不敢離開對方。

愛麗絲說，有沒有可能這些暴力虐待行爲會同時出現。我說當然可能，而不同場合或時間，可以有不同的層次暴力行爲。譬如剛認識時，妳可能只以爲他只是性子急或易生氣或嫉惡如仇，但是他卻處處照應妳，對妳的好遠勝過其他的缺失，而且脾氣發完就沒事了。沒想到兩人關係愈深，爭執的場面就愈火爆。尤其婚後，一切爭執都是關在臥室裡暗暗進行，又不是天天發生，總是時好時壞，類似週期性的，所以並不容易察覺或感受到危機。一直到動手打人或揚言要殺人時，才體會到嚴重性。

即使愛麗絲瞭解過去男女關係的不健全，她仍然得經過掙扎，才能提醒自己不再懷念或想挽救已逝的戀情，而重新勇敢的走出傷痛，面對新的人生。

代代相傳的婚姻模式

一位在加州大學舊金山分校（University of California at San Francisco）執教多年的教授莉伯蒂・柯維克（Liberty Kovacs），在執教和開業三十年之後，在她寫的《如何令夫妻親密》（*Refletions on Intimacy*）一書中就提到，在做夫妻諮詢一開始，她首先問的，總是夫妻兩人過去婚前男女親密關係，其中包括自己成長家庭的父母運作。目的就是讓夫妻兩人瞭解，他們的衝突方式和課題、甚至爭吵的模式，和自己父母的婚姻有多少雷同。的確，如果沒有警惕或深思，夫妻的關係和爭吵模式絕對會是代代相傳的。

但是每個受虐者卻都有著不同的故事。艾芙琳是拉丁美洲某國駐美的外交使節，每次來看我都是穿著法國時髦的套裝，頭髮也總是被髮型師梳著不同的樣式，甚至髮色都時有更改。纖纖十指的指甲油、口紅顏色都十分搭配，高跟鞋、皮包也永遠相配得宜，看來是那麼摩登、健美又開朗。她雖然已經五十多歲，風韻猶存，又會說多種語言，除西語之外，法語和英語也極流利，的確具有多重才華。但令人想像不到的是，她家中也有一個火爆浪子的老公。

因為工作需要，艾芙琳經常出差。兩年多來，她閱人無數，總說走遍世界，拉丁美洲男人和亞洲男人最類似：兩個民族都重視家庭，喜歡一大家家人團聚也雷同；但是大男人沙文主義更類似。

◎不斷偷腥的丈夫

於是她慢慢道出絢爛工作以外的、不是十分光彩的家庭生活。艾芙琳是擁有一半法國血統的拉丁美洲人，娘家是當地所謂大家庭的旺族，父母都是曾在法國受過教育的高貴子弟。所以她和馬利歐的結合，是經過很大的家庭革命而倉促決定的。他們已結婚二十多年，育有五位子女，家中一直雇請工人幫忙繁務。

馬利歐不是從什麼大家庭出身的，從小家中父母不和，母親生性暴戾，卻又特別寵愛他這獨子。家中姊妹衆多，造成他敏感又衝動的性格，一向自我中心，且善於使喚別人，自己坐享其成。結婚不到一年，就發生過去女友和他續前緣的外遇事件。加上又愛喝酒，如喝醉回到家，一定會爲家中一點不順心的小事大發脾氣。最常發生的是猜疑太太外面有第三者，或是爲其他芝麻小事頻頻責罵艾芙琳個沒完沒了。

結婚這麼些年來，外遇事件也是層出不窮，平均每次都不超過一年就宣告結束。而即使你拿出足夠的證據，他從來都是抵死不認。休息一兩年，又會再引發一段外遇。但這次的外遇已持續超過三年，才逐漸倦鳥知返，這才刺激艾芙琳來看心理醫師。

經過初次問診，艾芙琳花了大半時間在數落先生的不是。那，究竟是什麼讓艾芙琳願意維持這份破碎的婚姻呢？她說：「我想是受我天主教的信仰和舊禮教的影響吧！我父母的婚姻也不很好，父親是個極有魅力的男人，總有美麗的女人自動貼上來。母親怎麼哭鬧，也無法抵擋。但是父親最寵的孩子就是我，常嘆氣說可惜我沒生成男兒身呢。所以我嫁給馬里歐時，父母雖然覺得我是下嫁了，但若是我決定要離婚，他們是開明人也該不會堅持反對的。」

「那爲什麼我沒有跟他分手呢？」艾芙琳很認眞的想了想，接著說：「我想在保守觀念的國家，對一位離過婚的女人多少是有歧視的。嗯，年輕時我也曾好幾次想分手算了，甚至盡量理性的對馬里歐說，孩子如何可以由兩人輪流共同照顧。但是馬里歐立刻說：『好，妳走，我們就同歸於盡。我不只殺掉妳和孩子，也會把妳父母全家殺光，然後再自殺。』他每次這麼說時都眼露凶光，還指著自己櫃裡蒐集的半自動長槍呢！」

◎丈夫有錯太太擔

講著講著，艾芙琳又哭了起來。接著她又說：「馬里歐不是嚇著玩的，他眞的會幹的。因爲我外交官的身分，他才能以外國人的身分在美國做生意。我如果和他分手，不只會影響他的事業，其實也會影響我的社會地位。一個離過婚的女人，在傳統社會中是女人看不起、男人卻又想占便宜的人。我每次提離婚，就得遭馬里歐的羞辱，他會說我一定是紅杏出牆，在外面有了男人等。久而久之，我也想通了，離不離都是我吃苦。因爲和他分手，我不只得擔心他會殺人，也擔心自己名節會爲之掃地。總之，他的錯誤都是要我承擔，即使我一點錯也沒有。」

老婆動口，老公動手

看著艾芙琳餘悸猶存的模樣，可以想見她當時害怕老公毛骨悚然的恐懼情形。儘管前面的兩個受害者沒有受到嚴重的肢體或性的暴力，但是這種聲稱愛家也愛老婆的大男人，其實也會處心積慮的管制住老婆。男女吵架表現的方式原本就不同，先生常用「行動」來牽制用「言語」爭執的太太，例如先生會躲避閃開，但太太可能還在搬舊帳地說個不休。如一旦開了暴力先例，這種以行動暴力對抗言語攻擊的模式就會一再重演。加上先生如有病態地占有慾和暴力傾向，太太只好暫時委屈讓步，家中暴力的現象就不可能消失無踪。

原因很簡單：這種施暴者反覆無常、陰晴不定的個性，是很不容易更改的。想想看，如果他的行爲可以使對方讓步，又沒得到外在的處罰，他有什麼必要更改呢？儘管有時嘴邊露出歉意，心中並不覺得是自己的毛病。所謂的「江山易改，本性難移」，只有隨著時日變本加厲而已。

但是艾芙琳要談分手，也得從長計議，因爲所有的統計數據都顯示，談分手也是最危險的時刻！美國有做過家庭謀殺統計，儘管法律上有著保護令，但由男女分手到正式分開兩年之內，是所有不平衡的一方施暴的最危險時刻！仔細看看所有的社會情色謀殺新聞，也都是發生在這兩年內，怎可不愼。

所以學會如何分手以及如何避免和有暴力傾向的對方約會，才是最重要的。

5 相愛看機會，分手靠智慧

與一位有暴力行爲的人生活，兩人關係不可能改善，分開往往是唯一的方法。不過必須有周密的計畫才能減輕分手的暴力。

台灣的婦女新知協會一份最新的男女分手暴力報告指出：男女一方要求分手時，如果另一方並不情願，就是產生暴力行爲的危機時刻，不可不愼！八成施暴者是男方，二成施暴者是女方。其中包括各種形式的暴力，諸如毀容、謀殺，甚至各式各類的恐嚇或毀謗。台灣前陣子鬧得最轟動的緋聞——璩美鳳的錄影帶——不也是一種另類的分手暴力的後果嗎！這表示中國人男女雖早已自由戀愛，卻不容易學得好聚好散。

寬以待男，嚴以律女

中國的社會仍然是對男人的分手或外遇較爲寬容。打開中文報紙，先生在外面包二奶或和他人生了孩子，是常有的社會新聞；如和妻子分手時動粗，可以怪罪是因精神壓力，或工作不順；反之，女人的外遇則是不守婦德或生活，不知檢點。其實我們生活在現在的社會，每個人都得學會如何聰明的分手。

現今社會，男女戀愛的機會增多，自然分手的可能也增加。偏偏中國的父母在教育子女時一切以讀書爲重。根據友緣基金會的問卷調查指出，台北市有超過五成的父母，早上仍然得叫五、六年級的孩子起床，不爲別的，一切只求孩子休息時間夠，然後專心讀書。

可以想見，對男女戀愛或約會的事，父母總採取約束或拖延方法，希望自己的孩子是和一群孩子在一起，盡量不要有一男對一女的獨處機會。從初中拖到高中，從高中拖到大學，如反對對方，甚至由大學拖到研究所的也大有人在。其實這個傳統方法也嚴重的造成子女欺瞞父母，叛逆心重，或是學不會看清人，也不能坦率地和父母討論這類事情。碰到有暴力傾向的異性朋友，也不知如何對父母啓齒，那事情可就大條了！

迷惘的初戀

第一次看到小琪的模樣迄今仍很深刻。沒精打采的她一進來就縮在沙發椅上，小琪的父母那天都來了，關心的爸媽先進來搶著說話。父母來時口口聲聲說，小琪最近在學校和家裡的表現，好似有精神病的病人。

於是我就問他們何以見得？小琪的爸媽說其實女兒自小讀書傑出，學習能力強，來美很快地就趕上其他美國的同學，加上活潑又開朗的個性，向來都是很快樂的。所以最近的煩躁和寡歡，眞是把父母嚇壞了。小琪的功課也退步，每次打電話回家不是哭，就是爲了一點小事就發脾氣、又吵又鬧。我問他們吵鬧些什麼呀？

小琪的母親用心的想了一下說，小琪不大肯說，總說自己在學校壓力太大，或是和新結交的男友又吵架了之類的事。此時父親插嘴說，這個男朋友雖然是優秀的華裔學生，但是女兒打從和他在一起之後，個性就變得陰晴難測了。

◎「我早就該看心理醫師了」

於是我請小琪的爸媽在外等待，請小琪單獨進來。小琪是出生在上海的小留學生，進小學不久後就跟著父母來到美國。父母都是重點大學畢業的高材生，雖然都是年過三十才來美深造，卻很有本事的都拿到碩士，而且成功地轉行，現都擁有理想的事業。他們來美後又生了一個男孩，今年剛進小學讀書。

小琪的普通話還說得很流利，她說近幾年在暑假回去上海過兩次，也和過去的朋友有聯絡，大家可以上網談天，一點也不覺得距離的遙遠呢。於是我開始問她，知不知道自己爲什麼被父母帶來這裡。她突然地安靜下來，舔了舔嘴唇才繼續開口說：「其實我早就該看心理醫師了。」

於是小琪自己主動的叙述她的故事（以下用第一人稱）：

我雖然是在中國出生、在美國長大的，其實很多想法還是很中國的。譬如，我很注重學業的成績，高中絕不結交異性朋友，甚至高三的畢業舞會，我也依照父母的意思根本沒有參加。

但是上了大學，進入一所名校，離開家眞是好遠好遠啊！剛去的一學期，幾乎每週末我都好想家，好想家裡的弟弟和媽媽煮的菜，好想飛回家。當然這是不可能的，我也不敢告訴家人，怕他們擔心，到底我也曉得，念這所名校是父母竭盡所有的金錢支助。於是我就參加了學校華裔的同學會，就是在這個場合中，我認識了第一個男朋友。

安迪是工學院大三的學生，他是當年的會長。領導能力強，口才又非常有折服力。安迪第一次看到我，就給了我一個同學會的職位，從此我們見面的機會就大增。初識安迪時，他剛剛與前任女友分手；認識我之後，他馬上展開追求。偏偏我又從來沒有結交異性的經驗，家人又都在那麼遙遠，只知道他是華裔土生的美國人，功課也很不錯，因他的外表和自信的神情而折服，只覺有強烈的吸引力，於是我也馬上陷進去。

◎令人喘不過氣的占有慾

認識不到半年，我們就已經有了親密關係。現在回想，安迪過去對異性的經驗一定比我多很多。其實開始時，我曾一直婉拒，但是實在忍受不了他一再的愛撫和主動。自從有了親密關係之後，我漸漸感受到，他其實是一個占有慾非常強的男人。

安迪知道我所有上課的課程，他常會出其不意的在我下課時去的圖書館路上和我碰面。起初我還好興奮，覺得他好用心。漸漸的，如果我晚點出現時，他會爲這一點小事而勃然大怒，他會查問我爲何會不守時，或新認識些什麼人，是否有出軌行爲？

他的口才又好，咄咄逼人，我每次得花費很多的耐心來證明我對他的愛意不變。兩人的爭執總是不斷，一般吵架都先由安迪的情緒失控開始；然後就是我們彼此的申訴、發誓、溫存、親密，過了不久又輪到他大發脾氣。我在自己的家裡根本沒看過父母大聲爭吵，我自己也根本沒和人吵過架，於是開始漸漸感到自己的無力和疲累。

這些事我都無法和父母商量。他們根本沒見過安迪，只知道他是中國人，身家不錯，功課又好，父親又是醫生。他們只看過一次我們的合照，非常滿意，還說我們很相配。每次一提到他，他們只緊張地告誡說：「女孩子絕對不能婚前失身，男孩子會看不起，而且不可能會有好的中國男人要你了。」等等的話。我只好騙他們說我當然不會做那種事的。

在大學裡，我的幾個亞裔女朋友都和我一般，對自己的父母都充滿罪惡感和傷感。對異性的看法，爲什麼我們和父母那一代的環境和經驗相差這麼多？爲什麼兩代都不能表述不同的想法和意見？

這兩年來，我的心情和學業成績，都隨著我和安迪的關係而浮沈。每當安迪發脾氣的那幾天，他不再只是發發脾氣，更會有類似歇斯底里的情緒，一而再地找麻煩；甚至有週期性地控訴我做錯哪一件事惹他生氣，或是我怎麼又和哪個男的過分親熱。總之，一吵鬧就會沒完沒了。最近這幾次，更開始摔東西、撞門或踢門。我開始會非常的緊張和害怕，我們這份關係，眞是讓我心情也跟著時好時壞，有時單獨一人上課或念書時，想著想著都會流下淚來。最近我更是完全無法專心念書。

安迪常常在脾氣發完後，又急著找我對我說道歉。如果我不理睬，他甚至會送花，或寫些我特別喜愛的詩信解釋；然後我們又如同熱戀的愛人似的做愛，表示完全和解。

這讓我對自己的這份戀情愈來愈迷惑，打鬧似乎變成我們倆關係的催情劑。

◎生平挨的第一記耳光

我有好幾次想和他分手算了，這樣子實在太累了。最近這個月有一次，他又指控我和某一個男同學多說話。我實在太生氣了，就說你有神經病，他立刻勃然大怒，居然打了我一記耳光。我這輩子連爸媽都捨不得打我，當時眞想馬上和他分手。但回頭一想，我和他已有了這麼親密的關係，他也說將來要和我結婚的。也許眞是像安迪所說的，我年紀輕又條件好，又沒有給他足夠的安全感，等我們結了婚，這份關係就會隨之改善，他的脾氣就會變好。眞的會嗎？

看著小琪邊哭邊說的講完，我反問她：「其實男女在相愛時，大概是表現最好一面的時候了。所以我們常告訴戀愛中的人，你得睜開眼睛看清，反倒婚後眼睛得半睜半開呢。一個人千萬不要太高估愛情的能力，在婚前對方已經存在的毛病，都不是偶發的意外事件，所以都不會在婚後改善的。更何況照妳所說的，已有愈來愈嚴重的趨勢，不是嗎？」

小琪立刻點頭，接著說：「我也曾試著鼓勵他一起去看學校的心理醫師，安迪一點都不願意。他還說他這只是脾氣壞一點，只要我多一些耐性就好了。安迪說像他爸爸其實比他脾氣還壞，但是他媽媽知道爸爸發完脾氣就沒事，所以他們還不是好好的過了幾十年，也從沒鬧離婚。」

我問她：「妳能像他媽媽嗎？」

小琪想想，低聲含淚地搖搖頭，沒言語。

於是我問她，如果妳的爸媽支持妳，無條件地幫忙妳……還沒說完，小琪已著急地說：「請千萬別告訴他們我們已有親密的關係，我一定會和安迪分手。」

◎全家通力合作

小琪的故事有個美好的句點，父母一知道安迪的暴力行爲後，立刻有計畫地讓她轉學。這一方面是因爲小琪即早發現問題嚴重，另一方面也不得不歸功於小琪的父母有過人的機警，能夠在短時間體會到長大的子女的「不尋常」變化，又能及早尋求治療，才得以及時打斷更進一步的暴力關係。

經過這次全家的通力合作，小琪與父母也有了更爲親密的親子關係，未嘗也是意外的收穫。

施暴者個性素描

預防確實遠遠勝過治療，能夠及時脫離暴力，未婚的小琪的確比已婚的受害者容易許多。如果事先更能及早就能看出對方是具有暴力傾向型的人，得以及時退出當然更爲理想。這些年來，心理學家已經可以很清楚的將施暴者的個性描繪出來：

- 個性容易嫉妒，對身邊親近的人有強烈的占有慾。
- 脾氣衝動，意氣用事，小事當大事。
- 對於自己的暴烈性格不覺得是問題。
- 情緒失控時會露出暴力的傾向，諸如甩門、踢傢具等。
- 性格陰晴不定，變化大又快。
- 想法偏激，拘謹卻很有主見，難容不同想法。
- 期望身邊的親人都得照他的方法生活，給他所有的關愛。
- 可能很有才華，也可能有很多的朋友；但是只有親近他才可看出他獨特的個性。
- 有些更會蒐集武器或暴力方面的書籍。

以上的個性只要具有六、七項，就應和他保持距離，趕快說拜拜閃人了。說到底，三十六計走爲上策是最保險和最安全的方法。

要和一個具暴力傾向的男友分手的確不容易。可以想像，如果和對方還有同居的關係、甚至婚約和孩子，就更是難上加難了。但是與一位有暴力行爲的人生活，兩人關係不可能改善，分開往往是唯一的方法。不過必須有周密的計畫才能減輕分手的暴力。

妥善周密的計畫分手

如有婚約，必須蒐集所有的證據，包括被打的醫生傷害證明、信件，或運用錄音、錄影機等，同時私下得和律師商量如何得到可能的最妥善的法律保障。

在分手前，先安排好自己安身立命的新址。這包括親朋好友的配合和保密，盡力離開過去犯罪的地點，愈遠愈好。

離開時最好備有自己的金錢及必需品、有關幫助朋友的電話和申請的保護令。地點保密，同時獨處的機會盡力減低。盡量不和對方單獨相處，這段時間可能需要兩三年。

以上的一切，除了家人支助，最好還有其他法律和其他專業人士的策商和保護。

第4篇

左手牽右手

For the One I Love
For My Wife
to My Wife
MY HUSBAND
You're at a wonderful age!
Honey, Hope you're Soon Be Feeling Fine

情到深處有怨尤

情原本就是一個千變萬化、捉摸不定的非實體。如果十分在乎或執著於過去記憶中的老印象，反倒會令自己非常容易失望又痛苦。

自從發表一系列青少年的親子文章之後，很常接到北美外地來的讀者電話或來信。一位來自遙遠他州的太太，曾不勝唏噓地說：「但家庭劇本只我一人更改，談何容易？我和外子的婚姻根本已沒有什麼感情可作基礎了。」另一位太太說：「我們的孩子都已經上大學，也該是我們分手的時候了。」因爲她們的話，引起我決定重新剖析家庭中的男與女的關係，畢竟，他們才是這自己家庭劇本中的起草人。

六個月的老夫老妻

玲玲是我的老病人了。她早在十七、八歲就自己走到診所，來告訴我她的心事；之後，這些年來，每隔兩三年，她總在人生不同的階段找我商量。她是家中的老二，父母姊弟都是職技人才。從小她就長得高䠷又健美，偏偏有著「老二情結」，功課雖好，卻老是想討朋友好，常被朋友傷害。父母都具足心理知識，樂得輕鬆，也鼓勵她來看我。

於是這十一年來，她結交的異性朋友，她的職業，以及她獨立離家，成爲一個專業人才，我都參與了，而且也眞的以她爲榮。去年她要結婚之前，帶著未婚夫來作婚前諮詢，我也眞的同意她父母所說，她的先生是比她所有過去的男朋友都好，都合適她。

去年底，他們結婚了。小倆口子買了房子，兩人都有很好的工作，都是自己公司不可缺的人才。上個月，玲玲突然掛急診，一進我屋就哭了起來。邊哭邊說：「結婚如同騙局，如此無味。我們才結婚六個月呀！幸好我們還沒有小孩。」我問她到底怎麼一回事，她開始邊哭邊數落先生的不是，諸如他生活無趣，每天回家除了電腦，就是電視，然後就是睡覺，除了作愛時會說點甜言蜜語，兩人就在短短六個月內成爲老夫老妻了。

玲玲並說婚後唯一快樂的事，就是工作順心。她又升了一級，公司將在夏天送她和她自選伴侶去夏威夷度假一週，這是公司給她的額外犒賞。玲玲說正考慮帶母親去，因爲老公太無趣。我開始問她新工作的性質，她立刻眼睛一亮，說現在是擔任類似生物科技公關的職位，天天接觸的是各大公司主管，或是醫院裡的大牌醫生，或是藥廠裡的高級主任，她得負責招待他們，安排有關會議，有時甚至會陪他們打打高爾夫球。說著說著，她愈說愈得意，幾乎忘了自己爲什麼來。我打斷她：

「玲玲，妳是不是愛上了不該愛的人了？」

這句話好像打醒了她似的，她突然一愣，然後眼淚就奪眶而出。

「我眞的沒有做任何對不起他的事。我發誓，眞的。但是我最近常常會想，我實在不該嫁給他的。我現在常常天天可以看到很多新好男人，他們有才、有學，又風趣，又和我談得來……」

於是我問她：「妳每天花多少時間工作？」

玲玲算了一下，一天最少花上十二到十四個小時在工作上，這還不算出城開會或應酬。實際上，每天回家的時間都是最累的時候；久而久之，兩人的相處自然乏味。再加上兩人婚前同居過一年，也早已失去新鮮感了。她說得對，此時如有了孩子，不但沒減少問題，可能還增加了問題。

玲玲聽了，急著辯解：「妳不公平，妳如果看過他，就知道他多有才華了。」她現在迷上一位離過兩次婚的大醫師，他還有兩個前妻生的孩子，兩人因爲工作關係，天天都有機會見面，成爲無話不談的親近朋友。

情爲何物？

現今男女戀愛到結婚時，愛情進展如同速食，講求的是快速的感受與回饋。所有心理報告都證實，這樣的男女結婚後，對彼此的性遐想和性刺激都直線下降。婚姻原本就是一個持續不斷改變的關係，過程之中，有平坦，也有崎嶇的道路，而且大部分都是平淡的生活，男女的感情也由激情慢慢轉成互依又能互補的親情。而如何可以順利培養互慰、互勉、相濡以沫的親密關係，才是婚姻的最重要課題。

此時玲玲突然冒出一句：「What is love?」

我也反問她，究竟什麼是情？情爲何物？愛情的美，其實就是在男女表達時的若隱若現。彼此知道對對方有好感和欣賞時最美。這就難怪前陣子，台灣公視製作的《人間四月天》——徐志摩與他身邊三個女人的故事，是那麼的轟動全台。七、八十年前的男女，可以首次相遇、瞭解、欣賞，感情表達方式是那麼地含蓄又高貴。而且大家都能守持著道德的遊戲規則，男女之間的感情顯露出寬容、細膩與尊重，怎不令人心儀又回味無窮？正因表達的方式含蓄又有格調，所以也更耐久。早期的好萊塢電影，如《亂世佳人》（*Gone with the Wind*）、《魂斷藍橋》（*Waterloo Bridge*）、《翠堤春曉》（*The Great Waltz*），也都是這種男女恆久、刻骨銘心的愛情。浪漫之處在於可望又不可即，一直存在著追求性靈相通的狀態，才是令人嚮往。只享受追求過程，並不計較結果，這是多麼美好又理想的愛情故事。

偏偏現在的男女多少抱持著態度是「只在乎曾經擁有，不在乎天長地久」。追求過程很短，就已到終站。即使結婚之後，也不再像過去的人時刻記得生活在道德框框裡，信誓守持。加上外在的引誘也大，男女都外出工作，有更多時間和其他的工作夥伴或異性同事相處，碰到生活或職業方面的壓力時，自然而然就和常在一起同仁傾訴。久而久之，夫妻沒有交心，反倒和外人更親近。此時如果又有其他爭執的外在因素，如對家中的公婆或子女有不同的看法，或金錢等方面的困擾，婚姻就很容易亮紅燈。幸好，玲玲的婚姻問題發現得早。

首先我讓玲玲瞭解，她會對他人產生情愫的遠因近果。讓她自己分析，讓她知道情原本就是一個千變萬化、捉摸不定的非實體。如果十分在乎或執著於過去記憶中的老印象，反倒會令自己非常容易失望又痛苦。即使親情都會變質，何況愛情？前陣子，台灣有位老先生，因爲大兒子多年不孝，老先生一氣之下，就將他送給兒子的三層高樓，請拆房子公司的大機器當著大家面前給拆成平地。情到深處要無怨尤，可眞不容易呀。

玲玲一旦說出心中的秘密，其實馬上輕鬆許多。接著讓她瞭解，暗中欣賞別人是一件很平常的事情，這一生還可能會碰到很多自己欣賞的人。因爲現在大家接觸的人多，自己又和先生不同行，自然容易有談得來的男女朋友或同事。但是她能立即來看我，表示是自律的人，不過也的確在婚姻中遇到重大的挑戰。其實結婚並不表示自己內心就不會有孤寂的時候，也不能保證時時都有愛與被愛的感覺，雙方還是需要不斷溝通，以表達對彼此的關心與呵護。

異性好朋友與婚外情

另一個課題是，男女成爲好朋友，是否就等於是婚外情？並不見得，重點是演變成對自己配偶的疏離、不滿，甚至欺騙，這才是造成外遇與婚姻破裂的主因。如果能像玲玲及時發現自己寧願多和朋友同處，也不願回家和配偶在一起，就可能進而瞭解自己的婚姻已亮起黃燈。此時就該多花些時間和先生多談談，或一起做諮詢。要捫心自問，究竟是什麼因素造成今日的情形。

其實，在家放鬆幾天或一起去度個小假，都是對身心很好的事。太多的現代男女將自己的事業看得比什麼都重要，正因太重視自我，也更需要別人的肯定、瞭解和愛護，在外面當大老闆、大醫生、大主管，正好可以填補自己的空虛和脆弱。其實如和他們生活久了，他們回家也是過著平淡的生活，一樣是在家看電視、吃飯、上廁所、睡覺，久而久之，生活仍然會由燦爛變成平凡，都有無味的時候。

和任何一個人結婚，都有乏味和高低起伏的過程。興奮與新奇都是可以培養的，兩人偶而放下工作，離開塵俗城市，和另一半去外地享受不同的假期生活，此時兩人談什麼都可以，可能會大笑，大哭，兩人誠懇又感性地溝通，眞正感受兩人的內心世界。學會培養兩人的共同世界，增進那種苦樂共享共依的感覺，此時此刻，任何一個第三者都不容易隨便走進來。

婚姻遇到瓶頸時，很多夫婦都想以生育子女解決問題，而疏忽了有可能更延誤夫妻之間眞正該面對的問題。正因爲家中的男女感情對未來的子女影響甚鉅，所以我才有系統地分析常見的婚姻問題，諸如婚外情，夫妻之間多餘的猜忌，夫婦之間的自信、尊嚴、金錢和權力不平衡造成的問題，夫或妻與自己的父母或子女特別親密造成的三角關係，男女身心的不同而容易產生的衝突等；甚至什麼樣的吵架方式會導致離婚，什麼樣的溝通方式才是對婚姻具有正面和建設性的。

2 用心學吵架

四個騎士會達達地騎進婚姻的核心，徹底的破壞原有的家庭和諧，不但造成一對怨偶，也嚴重影響家庭親子的美好關係。它們是批評、輕蔑、防衛和相應不理。

最近這兩年，心理學家出了幾本有關離婚對子女深遠影響的書，都極爲暢銷。我曾在文章中數次提過華勒斯坦教授的報告，和她的書《離婚無法期待的遺贈》。她的報告是強調，在父母離婚二十五年後的約一百個子女，對婚姻和男女親密的關係仍然缺乏安全感，也容易焦慮和憂鬱。

兩個相反的研究結果

二〇〇二年四月，維吉尼亞大學（University of Virginia）退休的心理學教授赫德因頓（E. M. Hetherington）出版了一本新的書，書名是《不管好壞》（*For Better or Worse*，在西洋的婚禮中常由牧師提醒一對新人永遠廝守)，卻持有不同的發現。她研究更多的家庭子女，追蹤更長遠的歲月。在她的研究中，共有一千四百個家庭、二千五百個小孩，經過三十年的追蹤她發現，超過七〇%的子女最後仍然有美滿的結局。作者本身是一位結褵四十六年、婚姻幸福的人，她不會是贊成離婚的女權運動者，所以她的書有相當學術性的可靠度。

只是她在多年的婚姻研究中看到，很多在父母長期爭吵婚姻中長大的子女，眞是受了不少慢性折磨。因爲孩子在成長時，親眼看到的是父母長期的謾罵、撒謊、暗鬥或譏諷，甚至子女不得不成爲三角習題中的一張王牌，常在這種鬥爭中被拉來扯去。她針對這類情況問過這些子女，這些孩子會說：「我們眞是受夠了，也一直暗中祈禱盼望他們可以早點分開以減輕彼此的傷害。」

其實不論這兩位知名學者所持的意見多麼不同，基本的理論卻是完全一致的，那就是夫妻之間如何解決衝突，絕對會影響身邊子女的一生，至於後果是正面或負面，那就得靠子女自己的領悟和自覺了。所以夫妻之間實在不怕爭吵，而是如何爭吵和解決問題才是最重要的。即使夫妻鬧到分手，只要分手以後仍能口不出怨言，在子女面前仍可強調即使做不成夫妻，兩人仍然一樣地愛護著子女才是。

這不禁令我想到一位女性病患在婚姻終結、來看我時告訴我的話。她的婚姻維繫長達三十年，先生長期的有婚外情。在度過這麼漫長又痛苦的三十年後，滿以爲子女會對她爲了這個家和子女的付出與犧牲有所表示，沒想到已長大的子女居然在法院離婚時公然告訴法官，父母的婚姻老早就該結束了，他們看到父母分開，對大家都是一種解脫。這令她對爲了這個家而拖延結束婚姻懊悔不已。

夫妻諮商爲子女

中國家庭其實最重視的就是自己的下一代，所以這些年來，很多夫妻願意作夫妻關係的諮詢，都是爲了家中孩子行爲有了偏差。廖先生和廖太太就是這樣掛急診而來，我立刻體會到，大概又是家中子女出了問題吧。

◎有問題的是孩子還是婚姻？

兩人穿著整齊，一進來就針對他們十七歲長子的行爲大吐苦水。他們的長子從小好強，書讀得也相當不錯，就是個性愈來愈內向，都十七歲了仍不懂得體貼家人，也不會照顧下面的弟妹。父母兩人異口同聲的訴說著兒子的不是，諸如他上高中之後，不懂得和家人打招呼，讀書總是拖到深夜也不肯睡，平常老是把自己臥室的門關緊，不准弟妹進去，叫他今天一起來看醫生也不願來，等等。

我因爲體會不到他們青少年兒子行爲的嚴重性，只好再問下去。他們倆又接著說，兒子每個週末也不如往前那麼聽話，肯一起去探訪其他的親戚家。到底這個家庭有什麼樣的矛盾或混淆不清的關係呢？

於是我清了清喉嚨，說：「你們剛提到的很多是青少年正常的發展行爲。我們換一個題目，先來談談你們的婚姻好嗎？」

廖先生看看太太說：「我們婚姻是有問題，但是我們兒子的問題更嚴重。我……」我打斷他，說：「很多家中的問題都是家中人員互動（interaction）的結果。」

於是廖先生開始要求可否兩人分別單獨和我談？我看著廖太太，她居然十分贊同。我總是依照西方習俗請太太先說，廖先生也知趣的在外面等太太。

廖太太先是緊張的微笑著，然後搓搓手說：「我們的婚姻沒有基礎，一開始就不穩固。」我作出請她繼續的手勢，她才緩緩道出。以下就是她的故事（第一人稱）：

◎自覺沒有家教的媽媽

我從小生長在一個傳統的家庭，父母是開雜貨店的。父母兩人爲了養一家大小，生活壓力很大，不但天天吵架，有時還會動手，從來沒法好好相處，現在在美國和台灣分住兩地。

我們幾個家中女孩下課後都需要輪流替父母看店。每次輪到我，我都恨死了，我最愛面子，生怕有同學或認識的人認出。反之，家中男孩就不必看店，媽媽說男孩子要養家，所以書一定得讀好才行，其實即使讓他們下課的時間都專心讀書，還是讀得比我們差很多。

聽親戚說，我從小長相就是家中女孩裡面算是好看的，書也讀得不錯。但是家裡孩子多，父母又爲了生活奔波，根本沒花時間給我，我一直都有很濃重的自卑感。只有學期終了時，他們有一人會看我們的成績，看到不好就會罵人。我倒是很少挨罵。

我就這樣糊里糊塗地成長，順利地進入大學。我故意選一個理工系讀，不知是不是要讓父母特別刮目相看吧。進了大學之後，才知道班上幾乎全是男生，沒有女的。馬上就有一個男生來找我聊，從小我就是沒主意的人，也沒有什麼人對我示好過，我眞是打從心裡感激他。

女孩子的矜持或尊嚴，我都不懂；我只知道人家對你好，你也要對他好。大二下就懷了他的孩子，他帶我去拿掉孩子，也從此和我變成點頭之交。不久，他就在別系結交了別的女友。

我看著說話的廖太太，她說得不疾不徐，也沒落淚，平靜得好像在講一個古老的故事。我問她：「後來呢？怎麼認識廖先生的？」她笑了笑說：

「還早呢，我後來在大學又遇到另一個助教。他年紀長我許多，我想會比較可靠。我們還訂了婚，也同居過。然後他先出國念書，我大學畢業晚了兩年來。見到在美國的他，已經有了家室。我後來又結交過美國同學，他也是玩弄了我的感情。傷心之餘，我換了研究所，專心讀碩士。廖先生就是我當時研究所的同學，爲人正派，請我出去約了幾次會。這時我們倆都到了可以結婚的年齡，他一提出結婚，我們就在那年年底他父母來時結的婚。他的父母都是讀書人，一家兄弟姊妹都待我很不錯。

「結婚不久就懷了這個兒子，生產後不久，我又繼續就讀未完的學位。沒想到意外地又邂逅了在大學結交的那位助教男友。下課後，有時兩人就去喝杯咖啡，然後各自回家。有一天，兩人恰巧都和自己的配偶吵過架，他邀我去旅館，我就進去了……後來被先生發現，兩人大吵了一架。那個前男友也從此消失蹤影。

「這些年，我們一吵架，先生就會提起這件事。後來先生見我很傷心，就說讓我們從此都別提過去吧！他眞的也做到，從此不再提了。我現在有了宗教信仰，也知道過去那樣子是不對的。所以我覺得家教很重要，我是因爲沒有家教才會如此，不知道我的孩子會不會因爲有我這樣的母親，行爲也會偏差？」

◎愛生悶氣的爸爸

接著，廖先生在下一次的諮詢時間講了他的故事（第一人稱）：

我是家中四兄弟的幼子，上面三個哥哥都是模範生，只有我書讀得最差，爲此不知傷了父母多少心。我的三個哥哥都非常愛我，但是也管我管得很兇，父母更是對我好得無微不至。我常想，大概不讀書是我的一種叛逆行爲吧！

在這樣的家庭中長大，我從來都沒有特別表現的機會。如果有小事生悶氣，生個幾天之後父母或是哥哥們來找我開導一下就好了。我的父母很少在我們面前爭吵，父親其實脾氣極倔，母親就悶聲不響地生悶氣，等過去之後，父親對母親總是表露出特別感謝她的包容。總之，我們家和我太太家比，實在算是非常和樂的家庭。

讀大學時，我進了一個男多女少的學系，所以沒有什麼機會結交女朋友。加上自己家中就如男生宿舍，也沒什麼機會。出國之後，第一個女友就是現在的太太。她給人的印象是非常的柔順和老實，又不多話，長得不但很漂亮，功課也不錯，我的父母和哥哥們都很滿意，我們很快就結婚了。因爲我們倆都老大不小了，在國外結婚人選也不多，兩人湊合起來組織一個像我父母一樣的家庭應該不難吧！

沒想到，結婚之後才逐漸知道她的過去。我當然心裡有糾結，更沒想到她很不願面對任何衝突，每次一點小事吵完，她就會到外面做點壞事來發洩。後來她和舊男友情事爆發就是如此。

當然她有對發生的事表示歉意，但是我不高興就生悶氣，幾天不理家人。現在也不像過去成長的家還有人哄我，所以生悶氣的時間也隨著拖得更長了。這種吵架方式我們大概已沿用十幾年了。

我兒子每次在家中不理我們時，我就想到是我該得的報應，因爲在他們成長時期，我就是用這樣的臉色給全家看的。他們會不會是有樣學樣呢？

尤其是他還是長兄，卻一點也沒有當哥哥的樣子。是不是因爲有我這樣的爸爸，才會有如此不好的榜樣？

◎子女成爲代罪羔羊

聽到這裡，不禁令我想到家庭治療的理論：子女的壞行爲，是因爲他們願意成爲不肯面對婚姻困難的父母的代罪羔羊。一個家庭的運作方式是絕對會一代傳一代，廖先生生悶氣的吵架方式是自己母親的翻版，如不自覺，假以時日兒子也將以他爲樣版！父母的婚姻和兒女的行爲是息息相關的，怎可不慎？唯有每一代建立出自己的空間、時間及默契，才有機會把親子關係從這樣的矛盾中解放出來。

我於是開始請他們兩人一起進來作夫妻諮詢。他們倆是爲了子女非常肯努力學習成長的模範病患，他們坦誠分析兩人平常吵架的模式：先生常批評或輕蔑太太，接著太太的防衛是內心的叛逆；然後先生就生悶氣，兩人相應不理開始冷戰。

踏破婚姻的四騎士

我爲他們分析道，現在已有心理學者可以成功地預測哪些婚姻會分手，準確率可達九成多之高。華盛頓大學（University of Washington，位於西雅圖）的心理系教授高特曼（J. Gottman），和加州大學柏克萊分校（University of California at Berkeley）的心理系教授勒范森（R. Levenson），都設有愛情實驗室。經過二、三十年的長期追蹤已婚夫妻，他們可以很準確地預測哪些婚姻會搖搖欲墜。原來在婚姻有急轉彎時，夫妻的憤怒程度並不足影響他們的婚姻；可以預測他們之中哪些人會眞的鬧到分手的，其實是夫妻的互動吵架方式。

高特曼教授認爲夫妻會鬧到分手的，一般都是用特別負面的互動模式在溝通。久而久之，這種負面的吵架就成爲婚姻關係的致命傷。他引用《新約聖經‧約翰啓示錄》中「預示大災難的四騎士」做比喻，婚姻中如果使用這四騎士長期吵架，也將會帶給婚姻極負面的傷害、甚至毀滅。

這四個騎士會達達地騎進婚姻的核心，徹底的破壞原有的家庭和諧，不但造成一對怨偶，也嚴重影響家庭親子的美好關係。它們是批評、輕蔑、防衛和相應不理，簡單的說就是，他們吵架時都是人身攻擊，並且老揭過去的瘡疤。

他們倆都極用心地聆聽，廖先生更問我可否提些例子？

我說第一個騎士是批評，這和一般抱怨是不同的，抱怨只指某一個行爲而已，而批評是籠統的抹黑。譬如「我很氣你昨天沒有擦廚房的地板，我們不是早說好，這次是輪到你做的。」這是抱怨；而「爲什麼你總是說話不算話？你是怎麼搞的？每次輪到你時，你就不做。你總是不負責任，你們一家人都是這樣，將答應人的事不當一回事！」這就是批評。

第二個騎士是輕蔑，這是指不再批評而成了嘲笑。譬如先生不贊成太太花太多時間在外面做義工時，說：「妳哪是眞的去做事，根本就是愛出風頭！」明顯地是在貶低太太。此時的太太如果反擊說：「你們家的人那麼愛金錢，根本無法理解施比受有福。」就變成是批評和防衛。

第三個騎士就是防衛，當面對別人嗤之以鼻或步步進逼時最容易做出的行爲，要傳遞的信息是：問題不在我而在你。輕蔑和防衛常常連續出招，一棒接一棒的持續下來。當被對方攻擊到自己家人時，馬上就會反駁：「我們家不是愛錢，而是我們能吃苦，得服侍你們這些會享受又無能的人。」由上面三種語氣可看出他們只在批評、輕蔑和防衛中打轉，完全沒有解決現有衝突的可能。

第四個騎士是相應不理——指當夫妻兩人都只在前面三個騎士上打轉時，相應不理就跟著到來。被控訴的一方來個充耳不聞或是離家出走，你愈大吼大叫，他就愈迴避退縮，久而久之，所有的問題都成了積怨。這種無言的結局，是得付出嚴重代價的。

反其道而行

此時的廖太太頓時哭了出來。廖先生露出歉意的眼神說：「那應如何吵架呢？」我說，就是與四騎士反其道而行：「先弄清楚爲了什麼吵，就事論事。不作人身攻擊，不牽涉兩家家人，也絕不提對方過去的錯事，只談現今的問題。能夠少吵多溝通最好。因爲爭吵愈多，兩人的洞就愈挖愈深，很難再恢復舊日的恩愛。尤其你們兩人原本是家中較沒信心的人，即使都非常努力扮演父母的角色，還是覺得不夠周全。……」

廖先生接著說：「都是我的錯，我一定會努力改的。」太太也跟著說：「其實我也有錯，我也……」不等太太說完，廖先生就用手抓住太太的一雙手。

隔了一週，他們倆再共同帶了青少年兒子來診所給我看。這年輕人和我相談甚歡，從此再也沒有看到他們這一家了。想來，這四騎士也已走出他們婚姻的核心，夫妻之間更能坦誠地心靈溝通。家中父母能夠一體的對待子女，青少年問題就迎刃而解了。

3 性愛等於親密關係？

男女兩人交心遠勝肉體結合。性生活的不協調，只是一個婚姻生活的一個環節有問題，絕非是好壞婚姻的預測指標。

的確，夫妻吵架模式和一家人的行爲是息息相關的。正因如此，由兩人吵架的多年互動，絕對可以看出他們婚姻的親密形態。前面提到，高特曼教授在他華盛頓大學的愛情實驗室中，可以準確地預測哪對夫妻會最終分道揚鑣（準確率高達九四%），的確值得拿出來探討和深思。

愛情實驗室的發現

愛情實驗室詢問十一個有關夫妻兩人關係的主要問題，包括個別答覆他們是如何相識，如何戀愛，以及如何結合；他們婚後的甜美時節和風暴難關，以及他們兩人個別覺得這個婚姻對自己人生有哪方面的改變和影響。除此之外，還在愛情實驗室內以攝錄影機和類似測謊器的儀器測量每對夫妻，錄影及測量的包括夫妻之間如何表達失望，如何表達愛意，和對過去婚前的愛情記憶，及如何解決衝突。

運用這種種心理、生理測驗，他們能很成功的推斷，哪些夫妻感情穩固，而哪些是即將分手的怨偶。

他們發現，在那十一個問題之中，「先生對妻子的失望度」這個問題，是幾乎可以百分之百推測婚姻前途無望的準確指標。其實，婚姻的衝突往往是年年日日重蹈舊轍的爭執不休，他們愈是爭論不休，前面提到的四騎士——批評、輕蔑、防衛以及相應不理——就愈是一再地在兩人關係中出現，婚姻的親密度就會慢慢降至冰點，所謂「冰凍三尺非一日之寒」，就是此理吧！

正確的解決婚姻問題的關鍵，其實是要讓對方感覺你接受他這個人，也瞭解他這個人。在所有的夫妻爭吵中，不論是能解決或不能解決的，兩人都沒有絕對的對錯，有的只是兩個主觀的事實而已。婚姻大限之所以來臨，其實是男女兩方都認爲他們的婚姻問題嚴重，溝通無效，開始各過各的，寂寞或失望的感覺油然而生，婚姻才會開始敲起喪鐘。下面就是一個實例：

爲結婚而結婚

記得多年前，我看過一對極其優秀的夫妻，兩人都在美國拿到高等學歷，都有衆人稱羨的職業，卻爲了婚姻的「四騎士」而讓彼此的關係走到窮途末路。本來去看一位美籍心理學家，兩人先後看了多次，居然連心理學家都勸他們分手比較恰當。但是爲了孩子，兩人都不願先提分手，這才來到我的診所。他們都認爲自己是到了適婚年齡遇到對方而結合，兩人的婚姻感情基礎並不強固。

原來，結婚和畢業後，兩人都爲了個人的事業打拚，又先後生育了一兒一女，根本沒時間建立兩人的親密世界。加上那幾年，爲了兒女太幼小需要家人照料，雙方的父母都曾先後來過，因此婆媳問題又搞臭了兩家所有的關係。現在，兒女已到青少年該上大學的年紀了，此時是什麼問題會讓他們想來看診呢？

◎女強人的宿命？

我先請太太進來談談她的內心世界。太太雖然已年過四十，臉的輪廓仍可看出過去必定是個美人胚子。太太說自己從小就是個好學生，是家中七個兄弟姊妹中的老么。她說：「因爲從小受盡兄姊的疼愛和保護，也養成依賴性較重的性格。雖然好學，成績卓越，但是個性被動，也沒什麼自信。」

我問她是指什麼，她接著又理性的分析自己這個婚姻。先生是自己的學長，學生時代是個十分活躍的人物，曾經追過幾個她同班的女生，卻因不同的原因而先後分手。自己是因爲和他學的東西類似，才有機緣最後在一起的。

我問她：「妳曾經愛過他嗎？」她突然苦笑起來說：「眞是悽慘，我已經好久沒有想過了。」很明顯地，她早已對這樁婚姻徹底失望了，她認爲自己並沒什麼大毛病，問題是男方家從沒眞正接納她。還有先生和她常分別在外開會，先生總會亂花錢買些紀念品給她，她告訴先生除非以後眼光好些，否則別再浪費錢。先生爲此曾告訴夫家父母，令她更是失去夫家的寵。她說：「唉！沒有一個先生會喜歡太成功的妻子，這就是所謂的職場女強人該有的宿命吧！」

◎好得沒話說？

輪到和先生單獨談話時，我才逐漸看到他們婚姻的問題核心。先生說自己雖然念的是科學，從小卻是個喜歡舞文弄墨和寫徵文得獎的高手。因爲從小會念書，父母對他的寄望也最大。他說自己是受家庭的影響才會成爲科學家的，其實他仍是非常喜歡文學、音樂，也嚮往其他的藝術。

先生突然嘆了一口氣，接著說：「我們的婚姻是一個大大的錯誤！我從來欣賞的女孩子都是 well rounded ——也就是可以和我長談的人，偏偏娶了一個認眞啃書的太太，只知道念書和作實驗。如果約她去看場電影或是聽歌劇或逛博物館、天文館，她會說怎麼可能有多餘的時間做這些事？」

問到太太和他家人的關係時，他痛苦的搖搖頭說：「太太一頭鑽進事業後，僅有的其他時間都給了我們的兒女，她根本不可能對我或我的父母及家人有耐心。她以她聽不懂客家話爲由，從不試著和他們親近。最近這幾年，因爲她的家人也移民來美，住在我們家附近，她一有空就回娘家休息，更是以工作忙碌太過緊張爲由，和我的家人完全不往來，也絕對不讓我家人到我們家寄住。」

於是我問他爲何說太太不關心他，他說：「除了無法和我家人相處之外，她從來不願花點時間作菜。從來都是只有我們兩人分別買外賣，帶菜回家，所以我們家的廚房從不開伙，這麼多年來，完全沒有一家促膝談笑的家庭氣氛，吃飯也很少一家同時享用或是每逢假日一家一起坐下聊天。以前孩子小時，我們還會帶孩子回台灣玩玩，現在根本沒有任何閒暇活動。當然這樣也造成孩子都非常獨立和能幹。」

◎沒有性是因爲沒有愛

他們回去不久，先生突然自己打電話要單獨來看我。先生一見我就顯得比上次輕鬆許多，他說上次還沒說完他的婚姻，他要繼續上次的故事，他先問我：「您看過我太太，覺不覺得她老是緊鎖雙眉？」我說我只看過她一次，只覺得那是因婚姻不好的難過表情。他開始說了：

「您錯了，這是她一貫的表情，大概是她覺得地位愈高就更不必笑。她天天回家都是如此，加上從來本性就是非常緊張的人，這也十分影響我們的親密關係，我們的性生活從年輕時就少得可憐。每次來時她就緊皺著雙眉，新婚時就如此。她總是顯得十分痛苦，默默承受。工作量多後，不但會說NO，完全不肯妥協，還會說孩子都已經生了，生活中還得承擔這麼多的壓力，絕對沒有必要多此一舉。

「她甚至會批評我怎麼這麼不體貼她，這幾年更是變本加厲，先是罵我一頓什麼太好色，然後來個相應不理。我絕對不是好色的人，但是我們結婚二十年，除了初婚的三年之外，平均一年最多沒有超過三次，這一兩年她更是不肯，我們早已成爲無性生活的夫妻，兩人只是分工合作的在家中照顧子女而已。這種生活無趣的夫妻關係，給我的感覺是她根本不在乎我的感受，令我對這婚姻徹底失望。

「在日常生活中，我從太太處一點也得不到其他的溫暖、關懷或普通家人應有的親密。我來就是想問您，當您發現自己一點都不愛自己的配偶，同時也感受不到對方的任何好處時，還有必要再做夫妻和心理諮詢嗎？」

我立刻反問他：「以我多年的經驗，沒有足夠的性生活往往和『不親密』有關，這絕對是可以作夫妻諮詢的。但是你爲何會如此肯定這段婚姻無望呢？」

他立刻很誠實的抬頭看著我說：「因爲我已感覺我完全不再愛她了。」

我也立刻反問：「一個人可以如此肯定『不愛』對方，那絕對是在他心中已有別人了。而且對對方的感受可能更爲強烈吧！」

他也立刻回答：「的確，我心中已有了心儀的人，只是現在還沒進行而已。」此時的他也是第一次臉色欣然，開始微笑著繼續說話。

當然，這對夫妻之後我就沒有再繼續諮商，不久就聽到他們分手的消息。他們兩人都認爲婚姻問題嚴重，長久以來兩人都各有各的生活，先生對太太尤其失望，外遇當然就乘隙而入。其實在他們婚姻早期階段時，性關係不協調、對對方家人的疏離和兩人吵架的方式，都可以經由諮詢獲得改善；但是日積月累，這段婚姻早已被「四騎士」的爭吵方式摧殘殆盡。由於早就沒有身心親密的關係，也沒有共同的生活情趣和嗜好，再加上太太擁有不輸先生的職業，自然也不肯讓步，忍耐性於是隨著獨立性提高成反比下降。兩個最親近的人竟然因此成爲陌生人，這是多麼可惜。

心靈交融遠勝肉體結合

其實男女兩人交心遠勝肉體結合。我看過非常恩愛的白首偕老夫妻，其實過著完全無性的生活早已數十年；我也遇到已吵至快分手或已分居的離婚夫婦，仍有相當不錯的肉慾關係，但是在心靈深處卻已不再需要對方，也早就有自己的生活圈子了。所以性生活的不協調，只是一個婚姻生活的一個環節有問題，絕非是婚姻好壞的預測指標。

在現實生活中，中國人的婚姻最容易犯下的通病，就是如何一直和自己的伴侶保持比他人更親密的關係。常常看到一對對不再吵架的夫妻，兩人都分別有遠比自己另一半更親密的親友，他們都可以對那些親友毫無保留的傾訴內心的秘密，甚至向對方訴說自己配偶的種種不是。此時自己的另一半早已成爲多餘的人，爲了顏面雖仍維持著婚姻關係，與對方卻一直處在劍拔弩張的緊繃冷戰狀態。

其實維持夫妻之間的關係，所需要的努力遠比經營親子關係還多。和長大的子女相處，只要平心靜氣常講理就好；但是對長期生活的配偶，除了得日日平心講理之外，還得時時刻刻想盡方法以保有心靈契合的親密關係。譬如我有一位美籍女友告訴我，結婚了二十年之後，她最不滿意先生的地方有兩點。第一點是先生非常沈迷於和朋友打高爾夫這小白球，另一點是，每年先生都在不同場合送她很多昂貴卻一點也不實用的禮物，以補償自己多年只顧自己出遊的習慣。於是她就想出一個絕招，很快的同時解決了這兩個問題。

首先，她接受先生的運動嗜好有益健康這個觀念。於是她就試著和先生溝通，她不再反對先生打高爾夫球，但是先生每次去打球，去到離家愈遠的地方，就愈得送她禮。先生本就愛送禮，當然一口答應。於是太太就建議從現在開始，她不收禮物只收禮金。然後，她就將這些先生送的禮金省下來，每年兩人就用這筆錢到外地度假。從此他們倆就沒了爭執，結婚四十五年來（尤其最近這二十年來），足跡幾乎行遍全世界所有好玩的地方。在我的心目中，他們也是我認識的美國朋友裡，對各國的歷史及文化胸襟最開放、學養又充足的一對。

隨著夫妻的年歲日增，能像上面這對夫妻學會培養共同旅遊的興趣是非常理想的。

如果能夠成爲最知心的朋友，才會有最親密的關係。兩人可以培養共同的嗜好，手拉手去學跳舞、散步、上課或打球等都好，當然能在愈年輕時培養就愈有希望。兩人有共同的話題，才有辦法成爲知心和無話不談的朋友。

其實婚姻中的衝突不外乎三類，一類是永久的：譬如個人的身高，或過去娘家或夫家的缺失。第二類是難解的，如個人多年的習性，如喜歡打球，吸煙等。第三類才是可以解決的，如「某個你的朋友請別帶回家來」或「我們老是出去外面吃飯，可否這幾天都在家吃」。偏偏七成的衝突都是永久性或是相當難解的，如果夫妻兩總爲了這七成的問題一再爭吵不休，讓前面「四騎士」的負面語調年復一年地在婚姻中出現，兩人自然漸行漸遠！

薩堤爾的家庭治療法

在所有的家庭和夫妻治療醫師中，我最欣賞薩堤爾，她雖然去世將近三十年了，影響力卻絲毫未減。她的治療方法迄今仍廣泛應用在各種婚姻和家庭輔導方面，美加各大學甚至成立專門的研究室，繼續探討她的方法。

薩堤爾的家庭治療法的基本信念，是對每個人的信任和尊重。她深信每個人都是善的，如能正常發展，人性的善都會發揮出來。治療的基本原理是注重對每個人的滋潤，因此對每一個家庭成員在治療過程中都是正面的經驗，沒有一個人會遭指責或被埋怨，反而是每個人都有機會受到肯定和關懷。即使有時治療過程並沒達到預期的效果，但是運用薩提爾的方法的治療醫師，也會令每個家庭成員體感受到誠摯、接納和耐性。這些都將對每個家中成員產生一定的積極效果。

薩提爾的方法應用在夫妻關係也是十分切合實際的。就像前面提的那對美籍夫婦，他們兩位可以將雙方的不同變成共同擁有相同的生活嗜好。太太具有善巧的智慧，瞭解又接受先生的做法是「善意」的，於是成功地將原以為不易解決的衝突改變成可以解決的問題，兩人進而有了更豐富多彩的兩人世界。

最近看到台灣一篇文章，提到有關這二十年的離婚率。一九七七年是三・五％，到九九年時已提升到二六・九％。短短二十年裡，居然足足增加了八倍之多，這樣偏高的離婚率著實令人咋舌。更可怕的是，緊追在後的亞洲第二高的離婚國就是中國。我也相信，以往中國離婚率低並不代表每對夫妻都很幸福，只是過去的人比較會容忍和替家人著想。

所以我們是不是該靜下來，冷靜的檢視自己的婚姻，試著多做一份努力。如果婚姻中的夫或妻肯學習新的互動方式，並且體驗新的互動方式所帶來的新感受；如果在這過程之中，任何些微的正面反應都可拿出來肯定和感謝；如果夫妻兩人能夠體驗改變的即時性和實在性，進而增加對自己和對方的信心和希望，那我深信，中國人的離婚率遲早有一天也會像美國一樣，從九〇年代開始逐年降低，現在已降到七〇年代的數字呢。

4 愛是一生的堅持

很多中國人笑著說，老夫老妻手拉手，如同左手牽右手。左手受傷右手必定痛苦，也正代表夫妻情深似海。由此可見，愛絕對是夫妻一生的堅持。

從兩個人走進禮堂的那天起，也就是兩個家庭有了親密關係的開始。所以夫妻一下子有了三個家庭。夫妻兩人如何建立更親密的家庭管道，而勝過丈夫或妻子和本來的家人親密，是共築天長地久兩性婚姻美好的主因。可惜的是，華人往往忽視這個關鍵的重要性。

華人夫妻多難處

在我多年開業中看過的華裔第二代青少年病患，常常在問到家中父母的關係時，他們的答案是出其意外地否定和負面的。很多認爲父母在自己面前經常吵架，根本是因爲子女才在一起的。

我想，這與因為家醜不外揚的觀念根深蒂固，家中的父母又毫不忌諱在孩子的面前起衝突或抱怨很有關。加上中國人原本就比洋人口拙、少表現，老夫老妻何必親熱等觀念，令自己的孩子都沒有辦法體會父母間的親密關係。

更由於一般中國人的親情太深刻，以致很難容納外來的新人。我所寫的父母親子關係系列文章中，一向就十分強調，父母最終的角色，其實就是如何學著放得下自己的子女，而不致產生過分保護的心態，以致孩子成婚後無法和另一半建立起健康又親密的關係；也不致自己到年老了，才驚覺家中沒有夫妻的圓滿，也感到和自己的子女不如想像的一生親熱。這才會體會出自己的寂寞，與原來什麼都沒有的空虛沒多大分別。這些年來也真的在診所看過不少這樣孤寂又難受的病患，他們的老年自殺比例也年年增加。

一位大學老同學，現在是加州的一位牧師，他就告訴我，常在主持華人的婚禮時引用《聖經．以弗所書》中的句子：「因我們是他身上的肢體，為這個緣故，人要離開父母，與妻子連合，二人成為一體」，一再的提醒兩邊新人的父母。因為他看到太多的父母硬是放不下，子女結婚了，他們還硬加進去，三個人摩來摩去。原來他的觀察和我類似，也正合我一再提起的家中三角關係原理。

我十分淸晰地記得，數年前聽到一位柔順的傳統妻子，眼睛含著淚向先生解釋自己實在無法和公婆長住的原因。她邊哭邊說：「你媽媽這些年來，連你的內衣內褲都要全部負責，年年從國內寄來的包裹中，全是你的一切東西。你有沒有替我想過我心中的感受？」

先生露出十分無辜的模樣說：「這就是母愛呀。」

太太只好低聲說：「如果我爸爸每月都寄包裹給我……」

先生立刻打斷：「這是父母對子女的親情，我不會介意的。我還會替妳高興呢。」

含著淚的太太繼續耐心的解說：「可是如果我爸爸每次寄來的包裹裡面都是我的內衣、胸罩或內褲呢？而且都沒有你的東西呢？」

此時的先生想了一想，突然會意的噗嗤笑出來，於是原本室內情緒緊繃的氣氛立刻柔和起來。我也不得不稱讚此位太太獨特又具創意的比喻，令我迄今記憶猶新。

不放手的老岳父

曾先生和太太來看我時，原是爲了對青少年的女兒管教有異而來。夫妻兩人就這麼一個寶貝女兒。女兒功課優秀，人又長得修長美麗，個性又大方可愛，令我十分納悶，兩人爲何而來？太太一直等先生先說出問題的中心。

先生露出很無奈的神態說：「我也不知道爲什麼，只要我一插進她們母女的管教之中，太太就很不高興，而且大吼大叫的失去控制，說我無理偏袒女兒。」

看來十分高雅的太太，此時突然冒出很重的話：「我看你是對女兒討好過分，恨不得她是你的女朋友或愛人吧！」

這樣的對話，令我十分好奇夫妻兩人過去的成長背景。先生很坦然的說，自己家庭很簡單：有父有母，還有兩個弟弟。十年前，父親過世，母親很獨立，多半自己住，有時會到三個兒子家輪流玩玩。此時曾太太突然插了一句話：「他總是覺得自己的家多完美似的，其實很多缺失他都沒說呢。」

先生問太太說：「妳是指什麼？」太太說，爲什麼先生這個老大就得處理所有家中的爛攤子。此時先生露出很困惑的樣子，於是太太就不厭其煩的細數過去。我不得不等了一陣子才打斷曾太太，改問她成長的家庭背景。

太太是家中的獨女，上面有兩個大她很多歲的哥哥。從小她就是父親的掌上明珠，加上父母感情時起勃谿，父親總是籠絡獨女來制衡母親。但是父親絕對是個好父親，仁慈又有愛心，只是對獨女過分保護，在曾太太成長時期，父親總是過多的參與。譬如，從小吃的食物、穿的衣服，都得經過父親的詳加挑選才能決定，曾太太一切都得聽父親的。

等上了學校，父親更是幾乎天天送她上學，和老師談話，與同學聊天。至於校外活動，父親更是管制所有一切的活動，因爲一切事情都不安全。父親更會想盡方法，譬如用醫師報告作擋箭牌等等，所以曾太太在大學畢業以前，什麼地方都沒去過，什麼異性朋友也沒深交過。出國是在大學畢業之後，意外地得到一份獎學金而成行，不然父親是絕對不會讓她離家的。

一直到出國之後，曾太太因爲太想家，很快地就自作主張嫁了老公曾先生，這才開始有自己的生活。這事也引起父母在她婚姻初期很不滿意她選擇的配偶。

過了幾年，兩個孫子先後出世，老人家才不再提起此事。但只要曾太太的父親一和她一起生活時，就繼續像對一個五歲的孩子一般的呵護和管教。初時曾太太還可應付，但是常在事後被自己先生拿來取笑，曾太太還幫父親解釋或辯護。

一直到曾先生和太太學成回台工作，這才露出非常嚴重的現象。此時的曾太太早已是歸國學者教授，又是兩個大孩子的媽媽，絕對是能幹的職業女性，可以獨當一面了。她沒有和父母住在一道，曾太太的父親已退休，身體挺好，不似母親病弱。但每樣女兒家的事他都要參與，不只管曾太太的事，有時還會到曾太太工作的地方去找她，甚至表達對學校內人事的看法，私下替女兒送禮。他甚至干涉他們一家大小搭乘的交通工具。所有一切，包括曾家的政治想法、對身體的保健和醫師選擇，他都要女兒一家聽他的。稍有一點意見不同，老岳父就會又鬧又罵，搞得他們夫妻私下只好自作主張，也爲了父親參與而常起衝突。先生常和岳父持不同的想法，太太夾在兩個大男人中間，實在苦不堪言。

最最令曾太太不能忍受的是，父親還是常在背後述說對母親的不滿，明顯地要早已長大的女兒站在他那邊。儘管十分不能忍受，但從小聽話的她只會應付或躲避，於是，他們一家不久就又搬回美國居住生活了。

的確，和這樣的父母保持適度的距離，對已成年的子女可能是唯一的方法。曾太太的父親永遠將她當成五歲的女兒，這種老年人的心態很難更改，這種中國父母「父親的小女孩」或「母親的小男孩」心態，其實十分常見。

婚姻的頭三號殺手

即使今天在美國，夫妻離婚的第一殺手是外遇，第二是夫妻一人酗酒或嗑藥，第三殺手就是上面的其他家人的過分參與，因而減輕夫妻兩人的緊密度。想來重視家庭的中國人，家人在離婚殺手的排行榜上應該會排在更前面。

其實，解開這個結的原則只有一個：一旦夫妻結合，也就是自己的兒子或女兒結婚之後，長輩要讓他們獨立自主，自己就該放手和退位，不要硬加進去。聰明的女婿或媳婦，也應該在對方的父母面前表現出尊重與愛護，久而久之，自己的配偶會非常感激，有些公婆或岳父母，也能和女婿或媳婦培養出眞正的親情。

經過在我面前剖析自己的成長背景之後，曾太太和先生開始卸下武裝。太太回憶往事，也掉下眼淚，說父親年紀這麼大了，也不可能更改些什麼。我說妳這樣想是對的，但是每個人都從過去的家中受到影響。譬如，父母在家中擔任的男女角色，也會影響自己怎麼扮演父母、夫妻。此時的曾太太說，我就是不要變成我媽媽的樣子。曾先生也立刻說，我可也絕不是妳爸爸呀！於是多年兩人吵架的方式就從此有了更改。

曾太太的臉立刻柔和起來。夫妻一旦有自知之明，家中管理女兒的問題自然迎刃而解，因爲他們絕不是過去曾太太娘家的三角關係。父母兩人有了交集，健康又親密，三個人就不會摩來摩去了。一旦建立互信，兩人之間默契頓生，曾太太與先生對女兒的管教就自然更能同心協力。

除此之外，現在的婚姻也更容易遇到第二春。人們普遍長壽，又容易離婚，所以一生結合兩次的人比上一代多許多，不論在美國或在國內，都有更多的中年人有過再婚的經驗和可能。卻很少有再婚者知道，在第二次結婚前，其實更該有許多的心理建設。因為每個有情男女都會帶著過去婚姻的包袱和歷史，如果有了下一代的參與，更會造成三、四個人摩來摩去的複雜問題來。

羞於承認的第二春

吳先生和吳太太就是為此而來的。兩人都結過婚，太太的前天是一個不負責任的老公，又常有外遇。離異之後，太太一人茹苦含辛將兩個兒女拉拔長大。而吳先生和前妻原有不錯的婚姻，但是在一次全家度假的時候，老婆死於車禍意外。吳先生和三個大孩子都非常難受，孩子在辦完喪事之後，也常回來看爸爸。但是他們終究都長大了，早已開始有自己的工作和世界。

◎尷尬的感恩節

就在吳先生心情非常空虛和悲傷時，經由親戚介紹認識的第一個女性，就是現在的吳太太。兩人交往不久，就到法院公證結婚，沒有正式通知宴客就生活在一起，只有親近的少數朋友知道；但是對長大的兒女，吳先生卻只騙說已結交了一位女友。於是等到感恩節孩子回家，見到生米已煮成熟飯，當場失控，尤其是么女，失常地哭了起來，長子也開始責備父親，怎可欺騙子女。爲了安撫自己的子女，吳先生就解釋說兩人還沒正式結婚，只是同居而已。這種舉動又十分傷害吳太太脆弱的心。

兩人的子女也在這樣尷尬的時刻初識，自然沒有很友善的良好開始。等孩子走後，吳太太心中更是不能平衡，怎麼兩次婚姻偏偏都遇到如此不肯負責任的丈夫，傷心又積怨很深的吳太太，就像火山爆發似的大哭了起來。無論吳先生再怎麼安撫，兩人都很難回復過去的平穩關係。

於是，這一年都在吵架或冷戰之中度過。本來在遠方的吳太太大女兒又剛巧大學畢業，在附近找到工作，不久，女兒就察覺母親再婚的委屈，也非常替母親打抱不平，遊說母親乾脆搬出來和她同住。家庭中原本就有夫妻衝突，加上第三人更是增加摩擦。一次，吳先生的唯一女兒也回來玩，家中兩名年輕女孩爲一點小事吵了起來，好不熱鬧。爲了兩家的孩子相處不自在，夫妻感情更是雪上加霜。

吳先生是因爲吳太太最近常鬧情緒，搬去和女兒同住，愈來愈少回家和他同住，而提議一起來看我。於是兩人分乘不同的車子，從不同的家來到診所。我請他們分別單獨和我談談。吳太太先進來，只說對自己走進這樁婚姻十分後悔，自己明明有謀生能力，又有安定的家居生活，其實一個人可以過得很舒服，爲什麼好像跑進別人的家庭生活，弄得自己一家——包括自己子女的家庭——都備感壓力，眞是太不値得了。

她說著就哭了起來。每天回到這個空洞的大房子，雖然是豪華的新房子，卻好陌生，尤其是先生上班還沒回家時，自己只感到這個家好冷、好冷，哪裡眞正是我的家？說著說著，此時的吳太太早已哭成淚人兒了。花了好長的時間止住淚水之後，她走出我的房間，然後讓吳先生單獨和我談。

◎對亡妻的罪惡感

吳先生在單獨見我時，一直說自己最大的錯誤就是沒將結婚的事告訴孩子。我問他過去的家庭背景和第一次的婚姻時，他非常驚訝，問我爲什麼要問，我說因爲每個人如果不自知，都是一直依過去的生活方式待人處世。

他說過世的母親和前妻個性雖不同，卻都是任勞任怨的傳統好女人。我請他進一步解釋，他想了一想說，就是她們總把孩子放在最前面，夫妻關係放在最後面。我說，但是等孩子都長大成人時，夫妻面對孩子成人離家後，兩人還是得回歸到個人的親密關係上。他也同意地點點頭。

我接著說，之所以走進婚姻，主要就是爲了解除寂寞。那麼你太太在天之靈，以她賢慧的個性，會不會反對你再婚呢？

此時的他一語不發，突然大哭起來。可憐的吳先生因爲結婚太快，心理準備不夠，可能感覺對不起亡妻，或是對生前沒有好好對待亡妻心生遺憾，因此心中有對所有家人太多的歉疚和罪惡感，強烈到使他在所有的親朋好友面前，不敢露出一丁點對現有妻子的需要、愛意和支持。

現有的妻子，原本也是一個婚姻的受害者，經過多年自我療傷，以爲總算找到一個不同於前夫，對妻小有情有義的男人，沒想到這次婚後，自己的先生從不在衆人面前對自己大膽付出的情意表示支持。加上兩家的子女過多參與，大家摩來摩去，於是開始對這婚姻失去信心，也對先生灰心，才產生離去的決心。

其實兩人單獨在家，原本蠻能搭配的。先生和太太每天一大早一同散步，然後才各自去上班。太太和先生也都是喜歡作菜的老饕，每個週末，兩人興致沖沖的去中國城吃飯，然後另一天兩人就開始各作各的絕活，有時也請一些老朋友來嘗嘗。短短一年，也因好吃結交了一批共同的新朋友。

所以開始的幾次，我非常願意和他們分別談談。先生上一段婚姻中留下的，是長大的兒女和意外離開的愛妻。其實男人過去有過美好的婚姻，也更有對女人的依賴心，失去妻子也就更容易再娶，在中年提前痛失老伴之際的吳先生，心情特別空虛，卻在完全沒有心情培養愛情的時刻，做出再次結婚的行爲。而吳太太在多年防範再遇到壞男人心態下，保持冷靜和獨立，卻因爲到一個好好先生痛失前妻，引起女性特有的母性，而軟化、同情，才會如此匆匆的嫁給對方。

◎走出過去婚姻的陰影

於是當前最重要的是：兩人如何走出過去婚姻的陰影，不論是好是壞，過去皆是過去；現在應該放下過去婚姻的負擔，重新建立第二春，培養更多的共同嗜好，建立共同的社交圈，分享共有的信念、宗教或精神領域，建立更親密的關係和心靈交集，才是當務之急。

對兩人的子女更要同心一起來愛他們。愛他們而不是替代他們原有的父母，對對方的過去配偶不出惡言，接受孩子原有的父或母永遠是他們一家生命的一部分。不求對方子女改變，先無條件地接納他們，給這些年輕人多一點時間，不急著要求他們的肯定。保持同情、冷靜又幽默。

繼父應對對方子女更努力示愛，諸如帶他們一起去打球；繼母也應更用心的做他們愛吃的東西。多聽他們愛做的事和生活情形，避免捲入任何三角關係，記得一定要眞心的試著愛護、接受他們。唯有這份對對方家庭的大愛，才能成全彼此的小愛。

兩人婚前完全忽視兩家人相處的重要性；但爲時不晚，學會多聽聽對方的聲音，解除彼此的寂寞病毒之後，還是可以將親密感找回來。在孩子和家人面前，吳先生也需要更正式的對外表態。人生如戲，過去的婚姻不管多好，也有落幕的一天，現在重要的是將這新的一齣戲演好。如果只一勁對自己子女討好和親密，而將來子女只顧經營自己的生活時，自己卻變成一個孤寂的老人，這樣多不值得？

所以很多中國人笑著說，老夫老妻手拉手，如同左手牽右手。其實眞是如此，左手牽右手，左手受傷右手必定痛苦，也正代表夫妻親情深似海，一人走了，另一半的生活品質必定大降。由此可見，愛絕對是夫妻一生的堅持。

終曲：給子女的最佳遺產

婚姻絕對是要依靠雙方共同用心經營才成的。人生最重要是學會愛的施與受，如能用自己的行爲和言詞做好這身教，就是給子女最美好的遺產了。

男女之情是人生關係中最奇妙的緣分，它可以是人生中最美好的關係，但如果經營不當，立刻能成爲非常醜陋的冤家。夫婦關係亦然，如果經常爭吵，兩人之間很快就愈走愈遠，情一旦沖淡，瞬間就可以成爲心懷怨恨的仇人。於是夾在兩人中間的子女，就成爲最可憐的慢性受害者。

安定美滿的家最重要

所以夫妻之間，最好千萬別用「四騎士」的方式——批評、輕蔑、防衛、相應不理——去爭去吵。同樣是有問題，如能用正面的方式講理和溝通，實在是給自己子女一份最珍貴的遺產。寫了這個題目出來，一定也令一些讀者抱著懷疑閱讀下去。因為中國人最最關心的是如何教育子女，或是子女成材後又如何可以有美滿的歸宿。退而求其次，如何「建立一個安定又美滿的家」，遠比如何「有一個親密的配偶」來得更吸引人閱讀吧？

每次寫完一篇文章，總會接到一些美加各地讀者的來信或致電。詢問最多的，是有關家中成長的子女問題。其中有關問題婚姻的案例，更是引起一些特別關心的父母親來信，認為他們的子女就是將走進或已走進這樣的惡質關係，過分的焦慮，使得他們只想到如何破壞子女現有的異性情緣。不知道讀者有沒有想過，光想破壞而不能預防是不管用的，因為治標而不能治本的話，惡質關係仍會出現，誰敢保證，下個關係不會又是重複或更危險呢？

所以，如何建立一個安定又美滿的家庭，最為重要。這個家庭其實是以夫妻做為主軸，兩人如何在家中相處、依靠、甚至爭執，都時時刻刻影響著家中的子女。每個家庭中的人與人的維繫方式，都有它特別奧妙的地方，就這樣一環扣著一環地，連結得天衣無縫。

很多中國的家庭，尤其是覺得自己婚姻失敗的妻子，總是把全部的心神寄託在子女身上。儘管自己的先生就在一旁，全部希望仍是放在這第一號兒子（most favorable son）身上，這個第一號兒子（可能是老大或么子）往往是最優秀又最聽話的，從小就和母親最投緣、最有話聊，也是母親最大的光榮、希望與驕傲。當「這個兒子」其實並不容易，他得同時承擔家裡所有不能表達的情緒，所有的失意及期望，所有愛的壓力或恨的壓抑。

這個兒子的任務艱巨，他常常處於一個不易動彈又沒有自由的位置。久而久之，自己對任何事都拿不起也放不下。然而一旦做絕了，他也是一個狠角色。三十年前，一本在美國出版的中國城社會心理統計專書，就是寫中國城的頭號兒子自殺率高居榜首，而種下這自殺根苗的，不是別人，正是他們的母親。

「中了邪」的獨生子

A教授是一位在學術方面極有地位的國際學者，曾多次得到美國和他國的認同及獎狀，爲此，近年來也多次回中國、台灣，甚至到新加坡各地講學。她已屆退休年齡，但因爲在學術上的地位崇隆，迄今仍是在各大學中甚爲活躍的名教授。

當我在診所看到她時，心中實在十分震驚。她也流露出非常不自然的表情，一進來就立刻解釋自己不是病患，實在是自己的獨生子「中了邪」，不得已只好來的。我不禁說出她獨子的名字，表示自己的不解，因爲她的獨子實在是華人圈中家喻戶曉的傑出下一代人物呀！

於是她開始說出自己的家庭狀況。她結婚後不久就發現，先生有嚴重的酗酒毛病。兩人原本事業相差不多，A教授進入中年後，事業突飛猛進地往上升；反之，先生此時變得更爲懶散又消沈，常常在下班之後自己喝悶酒。初時她完全不知情，一直到先生工作表現出差錯，陷入低潮，連帶的薪水都大大減扣。有好些年，夫妻兩人常爲此爭吵。先生的頽廢精神情況一拖十多年，幸好有個好兒子，總站在她這邊和支持她。夫妻兩人貌合神離，早已變成相應不理了。一次，先生在出差到外地時開車，可能喝多了酒，竟意外地在一次車禍中猝然去世。

她細訴時一點沒露出特別情緒，只說其實先生的去世可能對兒子是較少的傷害，因爲先生實在不是什麼好的父親榜樣。先生死時，兒子剛好在念大學。這十多年，都是她含辛茹苦的將孩子拉拔到成人。兒子從小就不讓她操心，一直是功課優秀又具領袖能力的出色學生。A教授說，她也一直覺得世界是公平的，因爲她雖沒有一個好先生，卻有一個人人稱羨的好兒子。

長大了的兒子，讀了一所最好的醫學院，每次回家就是談學校的課目。A教授說：

「我們所學和興趣都相近，眞的是無話不談的朋友。」後來兒子搬出家，在外做事也是最最傑出的醫師。因爲工作忙碌，一直沒時間結交女友，倒是有一些好同學、有些女病患或女同學會主動找兒子，但是兒子爲人老實，都拒絕掉了。

此時A教授突然臉露痛苦的想了想說：「我眞是作夢也想不到，兒子會遇到這麼一位個可怕的女人。兒子一和這妖精在一起不久，就變了個人似的。她比我兒子大一歲，過去又結交過無數的異性朋友，還主動追求我兒子。剛開始我兒還會排斥她，後來兩人竟突然同居，當然是那個無恥的女人主動搬到兒子的住處。

「我眞是差點氣瘋掉了，於是跑去兒子工作的醫院私下告訴兒子，有關對方的處心積慮，和對方人品的低劣，千萬不可以和她結婚。兒子此時就像變了一個人似的，處處護著對方，還搬了住處，也不肯告我他們新的地址。還說我一定得學會放下，不然我才是他最大的苦惱！請我不要再和他親近，放下對他的控制，哪有人還在管教年過三十歲的兒子，並說他的爸爸多可憐，也就是因爲我的強勢才把他逼死的。最後請我試著自己過日子，否則他只有自殺一途！」

講到此時，A教授早已泣不成聲，坐在我對面的她也早已不是一位名科學家，而是一位關心兒子又傷透了心的母親，我只能拿出桌上的面紙給她拭淚，順便拍拍她的肩，並說：「其實愈是沒有經驗的人，愈不容易結交到異性朋友；加上眼高手低又不知從何著手，所以往往都是被性經驗足夠的人反追到手。也因此，我從來都是鼓勵年輕人趁年輕時多結交和多學習。妳現在眞的也只能學會放下，他會選到這女的其實不只是巧合，沒有她，他也會選到別人。學到的經驗不論是好是壞，他自己都得承擔，由此，將來他一定會學習到一些結交異性的經驗。」

父母是孩子的啓蒙師

很多中國的夫妻——尤其是母親——常爲了要給子女一個「完整的家」，不惜自己表面容忍卻內心不甘；又擔心若是離婚，子女長大後論及婚嫁時會被對方家長看不起，故堅持不離婚。殊不知，正因父母是子女最具影響力也是最早的啓蒙師，子女看到父母的一言一行，都會深深影響他們自己長大後的行爲。其實不管離婚或不離婚，父母的婚姻狀況不好，子女都是最難過的。結婚失敗並不表示分手或離婚會失敗，分手時如能理性和減少敵意，多給孩子時間，夫妻多給子女安全感，那麼分手的遺憾即可降至最低。

所以父母兩人如果沒有辦法找出相處和正面溝通的方法，孩子每天就得在家庭氣氛緊張、恐懼又不安的環境下成長，負面絕對超過表面的完整，影響至巨的受害者也絕對是子女。我同情的看著這位可憐的母親，因爲所有的心理報告都證實，從小生長在父母長期拔河的家庭中的孩子，不只受到傷害，對男女關係也不易有健全的觀念。有些子女長大後更會有意的躲著父母，因爲每每一家人在一起時，過去的負面情緒——怪罪、惶恐和勾心鬥角之類的——又會以重複的模式演出，子女實在不願意再在痛苦記憶中度過一生。

我現在就舉兩個公衆人物爲例，讓大家看看父母對子女深遠的影響。當今走紅的美國甜心女星梅格•萊恩（Meg Ryan），從小原本生長在父母雙全、看似幸福的中產家庭，兄姊共四人。其實母親總覺得鬱鬱不得志，十分不快樂，長期和父親冷戰。於是當她上初中時，自以爲有戲劇天賦的母親，突然離家到紐約尋求明星夢，從此沒再回來。後來父母先後再婚，梅格非常痛恨母親之舉，從未寬恕過母親，也常常在媒體控訴母親的失職。於是她很有意的比較晚婚，嫁了另一男星丹尼斯•奎德（Dennis Quaid），也生育了一個如今九歲的男孩。婚姻外表幸福美滿，在二〇〇〇年拍攝《千驚萬險》（*Proof of Life*）時，卻假戲眞做地愛上戲中的對手羅素•克洛（Russell Crowe），閃電似地和先生分手。她還堅稱並非爲了第三者，因爲他們這段婚姻其實早有其他的問題，她會重新站起來並再創新的演藝生涯。眞是母女相傳莫過於此了，唯一的不同是，我想她會因爲自己小時的痛苦，而更珍惜母子的親情吧！

甘迺迪總統（John F. Kennedy）的遺孀賈桂琳（Jacqueline Kennedy）的童年家庭生活相當坎坷。她是家中兩個女兒中的長女，長得很像父親，甚得父親的喜愛。父親是法國來的新移民，外形迷人又能言善道，骨子裡卻是一個沈迷酒色的空心大少，後來又將一身的積蓄都投資到股票上，全部賠掉以致生活潦倒。母親常等到深夜卻不見父親回家，氣極了就把他鎖在門外。因為兩人同是天主教徒，父母都不願離婚。常常都是在讀小學的賈桂琳輕輕的把已醉醺醺的父親拖回屋裡來，她甚至會在父母吵架時常護著看來弱勢的父親，她曾多次向朋友抱怨，母親對父親總是輕蔑和相應不理的冷漠。

多年以來，她都會深夜故意等著為父親開門，替爛醉如泥的父親洗淨吐髒的身體。到少女時代，父母終究離異。她和妹妹都和母親、有錢的繼父同住。她仍一直和父親親近，大學主修法文，甚至到法國留學一年。嫁的第一任先生也和父親一般有魅力，也好女色。多本有關她的傳記都記載，她明明知道甘迺迪帶女人進白宮過夜，居然可以裝著不知情，的確令人驚訝。後來嫁的第二任丈夫希臘船商歐納西斯（Aristotle Onassis，據稱他雖貌不驚人，卻也是個極有魅力的男人）更有甚之，舊歡新愛酒色不斷。由以上的兩個例子可以看出，父母之間的互動，對子女一生的選擇和行為影響實在太大了。

最完美不如最適合

美國這十多年來，所有專家都在努力維護美好家庭，原有的五成離婚率也已降至四成三（指首次婚姻）。他們都強調婚姻不該是強調尋找「最完美」的人，而是選一位「較適合自己」的人，更要認知在任何婚姻的路上都有高低和起伏，所以訓練面對衝突和學會如何溝通的能力，才是當務之急。

所以我綜合所有的不同男女身心和心理學理，提出「四種行爲的改善」、「六種親密的建設」和學會用「三明主義」來吵架。這是嶄新的夫妻正面溝通方式，將會增進溝通和減少矛盾，並能制服過去的負面吵架模式。如此一來，每對夫妻都能更體諒、更樂觀、更平靜地共同攜手修護婚姻。

◎四種行爲的改善

所謂的「四種行爲的改善」，基本上是用來加強家人親近關係的：

1.會捨得給，對方喜歡吃的、喜歡穿的，自己一定清楚，多注意也多給他；對方懼怕的，就少做，總是站在對方的立場替他設想。

2.常常說好聽的話肯定與稱讚對方。譬如虔誠的教徒一般會說「感謝」或是「感恩」的話。

3.會試著配合對方。對方喜歡打球或看球，自己雖不喜歡，至少會陪對方看和瞭解一些球場術語。對方喜歡逛街，自己不喜歡，偶而還是要陪陪他，並稱讚對方的眼光。

4.更進一步地會學著有共同生活。找到共同有興趣的事情一起做，譬如旅遊、看電影、聽音樂會、上博物館等。

◎六種親密的建設

因爲男女原本就是異性相吸，身心結構都不同，難免會有南轅北轍、甚至格格不入時，所以必須時時記得「六種親密的建設」：

1.多說好話。不管結婚多久，不要妄想對方會隨時懂得你的心。請天下的妻子得溫暖親切地直接告訴他妳的想法，天下的先生得更加注意妻子的肢體語言。即使在做愛時，請先生學著用眼對眼談話和多表達感情，譬如「妳今天的香水很香」或

「這件衣服很適合妳」。同樣的，妻子也可用同類語句對待自己的老公。保證你不會吃虧，禮尚往來得到好處是絕對的，溫語如春煦，兩人之間自然容易和諧。

2. 少提舊傷口。請妻子千萬不要洩漏老公囑附妳的秘密，也千萬不要舊事重提，因為舊傷絕對會引起新痛。請天下的老公切忌常用「三字經」的髒話，不要怕說道歉和流眼淚，多用感性的表達，你的老婆才更會懂你。

3. 多學傾聽。因為男女的幽默感不同，當老婆不高興時，別逗她或或譏笑她，學著用感性的語氣聽她傾訴。如果做老婆的發現先生出奇的沈默，請別嘮叨或是用其他的事嘰喳，因為此時的他定有心事，只要告訴他，妳永遠站在他這一邊，和他心心相連就可以。

4. 主動示愛。做妻子的不要害怕主動去觸摸先生，做愛時得放輕鬆；不想做時，拒絕也要婉轉，切忌拿「做愛」當成不滿的工具，動輒拿來討價還價。做先生得學會做更好的聽衆，不打岔，記得這是最好的催情劑。

5. 得理要饒人。做先生的多學會用「我希望」或「我感受」之類的語氣來改變對方，這絕對勝過大吼大叫和強勢逼人或不理人。做妻子的如自己感覺沒有做錯，也別隨便道歉，因為這樣只會加深對方對自己的不滿。但是記得，吵架時最需要平心靜氣。

6.多關懷多支持。當先生鼓起勇氣說出內心話時，請妻子別在此時打岔，說妳剛好也有這方面的困難之類的話，請用心聽完，處處露出關懷和支持。請先生在心有煩惱而太太關心詢問時，也別說沒有事或搖搖頭，試著用感性的組句來形容自己的問題，給她機會關懷。

◎三明主義

用了以上的四、六方法，絕對會改進關係。但是世上沒有不吵架的夫妻，因爲牙齒都會不小心咬到舌頭呢！更何況兩個來自完全不同成長背景的人要日夜生活在一起，難免生活上會有摩擦的。當意見不同時，請奉行三明主義（或三P主義）：

1.Positive，明明白白的告訴自己，在吵架前一定得心存寬恕、感恩和樂觀，說話一定得客氣，誠懇。此時動怒是絕對講不清道理的。心如果不平，等一陣子冷靜後再講理。

2.Partnership，明明白白地說清楚當下的問題，不要責難，而是討論和商量。譬如

「兒子的讀書習慣不好」，不要舊事重提或翻舊帳說「打從開始你就沒盡心」等話語。兩人討論時是臉對臉、眼對眼，當對方是「最佳拍檔」般的論事。

3.Precise，明明白白又簡短扼要地說清楚你能做的和準備做的，以及對方可以做的是什麼。如果自己花了五分鐘訴說問題，也要同樣給對方五分鐘；對方說時，自己也試著用心傾聽，不要打岔。

因爲這是一種「全新」的夫妻溝通方式，甚至還可以鼓勵對方，問他說完整了沒有或時間夠不夠。討論難題時，是以描述心內的失望、傷感爲主，而不是用責備或挑戰的口氣去爭。

夫妻只有雙輸或雙贏

在現實的生活中，我們不可能要求自己的另一半完全活在我們的期望中——因爲我們也不可能完全符合對方的期望。每個人畢竟都有自己的特質，不要想去改變對方，唯有改變自己，才有希望改變現有的家庭關係。學著把心門漸漸打開，學習更包容、更尊重、更妥協。承認自己錯誤或需要改進，不是一件沒面子的事，夫妻之間沒有所謂的你輸我贏，只有雙輸或雙贏。

男女身心頭腦和思路模式本就不同，女性一定得耐心等待男性的反應，而男性也要學著包容女性的內容重複。濃得化不開的男女愛情，爲期其實是很短暫的；但在細水長流互依互靠的時間，卻是可以很漫長的。柔軟的水刀都可切割鑽石，兩人如有耐心，試著找出對方的優點，就可以成全一段幸福美滿、琴瑟和鳴的婚姻。

但是婚姻絕對是要依靠雙方共同用心經營才成的。如果實在婚姻失敗，切記，只能做原諒的陌路人而不能做記恨的仇家。人生最重要是學會愛的施與受，如能用自己的行爲和言詞做好這身教，就是給子女最美好的遺產了。

國家圖書館出版品預行編目資料

牽手經營婚內情／卓以定著. -- 初版. -- 臺北市：遠流, 2002 [民 91]

面；　公分. --（大衆心理學叢書；259）

ISBN 957-32-4738-0（平裝）

1. 婚姻　2. 兩性關係

544.3　　91015191